1992

# Souvenir Collection of the Postage Stamps of Canada

# Collection-souvenir des timbres-poste du Canada

MAIL POSTE

Canada Post Corporation / Société canadienne des postes

Published by Canada Post Corporation
Design: Pierre-Yves Pelletier Design incorporée
Computer treatment: Michel Pelletier
Cancellation dies: Bernard Reilander
Research: Tom Reynolds, Céline Camirand, Ron McGuire,
Dan McNutt, Hélène Charlebois-Dumais, Margaret Kirlin,
Dan Diamond and Associates, Katharina Aulls, Ülle Baum,
Lucy Sbrocci
Writing: Louise Ellis, Leslie Elizabeth Ebbs, Daniel Rivière
Adaptation and editing: Francine Morel, Madeleine Côté Gélinas
Proofreading: Madeleine Côté Gélinas, Brenda Missen
Visual research: Claude Huguet
Photo retouching: Denis Major
Films: Graphiscan Ltée, Le groupe LithoChrome inc. (cover)
Printing: Metropole Litho Inc.
Co-ordination: Georges de Passillé, Danielle Trottier

Publié par la Société canadienne des postes
Conception : Pierre-Yves Pelletier Design incorporée
Traitement informatique : Michel Pelletier
Cachets d'oblitération : Bernard Reilander
Recherche : Tom Reynolds, Céline Camirand, Ron McGuire,
Dan McNutt, Hélène Charlebois-Dumais, Margaret Kirlin,
Dan Diamond and Associates, Katharina Aulls, Ülle Baum,
Lucy Sbrocci
Rédaction : Louise Ellis, Leslie Elizabeth Ebbs, Daniel Rivière
Adaptation et révision : Francine Morel, Madeleine Côté Gélinas
Lecture d'épreuves : Madeleine Côté Gélinas, Brenda Missen
Recherche visuelle : Claude Huguet
Retouche photographique : Denis Major
Pelliculage : Graphiscan Ltée, Le groupe LithoChrome inc. (couverture)
Impression : Metropole Litho Inc.
Coordination : Georges de Passillé, Danielle Trottier

|          | **Contents**                             | **Sommaire**                                  |
| -------- | ---------------------------------------- | --------------------------------------------- |

## A Celebration of Our Nation

While Canadians from coast to coast were busy planning special ways to celebrate the 125th anniversary of Confederation this year, Canada Post was faced with a daunting challenge: how to commemorate our vast and diverse nation in thumbnail-sized pictures. To capture the ambience of the different regions of Canada, it was decided that each province and territory would be represented on a stamp by a work of art. The various images chosen would also have to be complementary enough to form a unified whole – partly for overall design purposes and partly because the purpose of the issue was to celebrate the country as a whole.

Faced with a dizzying array of possible subjects, media and artists, the experts involved in the project decided to narrow the field down to contemporary paintings and prints. They also decided that the images should reflect a common theme. And what could be more appropriate than the words from our national anthem, "Our home and native land"?

In keeping with that theme, the 12 paintings finally selected portray not merely a series of landscapes, but recognizable places, whether rural or urban, where people live and feel that they belong. As suggested by the French lyric, "Land of our ancestors", they also reflect a mixture of various cultures, as well as a juxtaposition of past and present.

The artists chosen to help celebrate our dynamic country are all intimately familiar with the places they have painted. In fact, many of them are closely identified with their locale. What's more, their environment has repeatedly provided them with the inspiration to paint.

## L'éloge d'un pays

Pendant que les Canadiens s'affairaient à organiser des festivités toutes spéciales pour célébrer le cent vingt-cinquième anniversaire de la Confédération, la Société canadienne des postes relevait un défi de taille : à l'aide d'images aussi minuscules, rendre hommage à un vaste pays aux caractéristiques multiples. C'est pour traduire cette multiplicité que le choix des motifs des timbres s'est arrêté sur des œuvres d'art représentant chaque province et chaque territoire. Pour des raisons d'esthétisme et parce qu'il s'agissait de célébrer le pays tout entier, il a fallu choisir des œuvres qui pouvaient témoigner d'une certaine unité.

Devant le nombre affolant de sujets, de techniques et d'artistes, les responsables du projet ont préféré s'en tenir à des œuvres contemporaines groupées autour d'un thème commun. L'hymne national s'y prêtant merveilleusement, «Terre de nos aïeux» est devenu le fil conducteur.

Fidèles à ce thème, les douze tableaux retenus ne représentent pas une série de paysages puisés au hasard, mais des scènes urbaines et rurales reconnaissables desquelles se dégage un sentiment d'appartenance. Tout comme les paroles «Terre de nos aïeux», les tableaux symbolisent également la diversité des cultures et la juxtaposition du passé et du présent.

Les artistes dont les œuvres rendent hommage au dynamisme de notre pays sont tous intimement liés aux lieux qu'ils ont peints. En effet, bon nombre sont étroitement associés à leur milieu respectif, source de leur inspiration.

5

For 50 years, E.J. Hughes has lovingly painted the southern coastline of his native British Columbia. After studying at the Vancouver School of Art and serving as an army war artist, he settled in a village on Vancouver Island. Living in seclusion, he has been truly at home, meticulously rendering his sketches of nature into watercolours and slowly distilling them into oils. Many of his canvases, such as *Christie Passage, Hurst Island, B.C.* (National Gallery of Canada), depict nature not in its primeval form, but enlivened by human presence.

The career of Alberta artist Janet Mitchell has also spanned half a century. Despite many personal hardships and a lack of formal artistic training, she has succeeded in developing a fresh and energetic style – a unique interpretation of the mountains, prairies and streets of western Canada. The semi-abstract watercolour, *Across the Tracks to Shop*, with its colourful, dancing forms, is typical of her work's joyous celebration of life.

The expansive beauty of the Prairies has been impeccably captured by David Thauberger in his large painting, *Untitled* (Saskatchewan Art Board). Most of his work depicts his "built" environment – the distinctive architecture of Regina and the surrounding rural communities, such as Holdfast, where he was born. This wasn't always so. Thauberger earned three degrees in ceramics (two from universities in the U.S.) before taking up painting and returning both literally and figuratively to his roots.

Depuis cinquante ans, E. J. Hughes peint avec amour le littoral méridional de la Colombie-Britannique, sa province natale. Après des études à la *Vancouver School of Art*, il est nommé peintre de guerre, à la fin de laquelle il s'établit dans un village de l'île de Vancouver. Reclus, il s'y sent vraiment chez lui, prenant le temps de reproduire méticuleusement ses croquis d'après nature à l'aquarelle et, après un long travail de maturation, reprenant les mêmes motifs à l'huile. Une bonne partie de ses toiles, comme *Christie Passage, Hurst Island, B.C.* (conservée au Musée des beaux-arts du Canada), illustrent la nature dont l'homme a tempéré le côté sauvage.

La carrière de l'artiste albertaine Janet Mitchell couvre aussi un demi-siècle. Malgré de nombreuses difficultés personnelles et l'absence de formation artistique conventionnelle, elle a réussi à élaborer un style neuf et vigoureux, une interprétation tout à fait originale des montagnes, de la prairie et des rues de l'ouest du Canada. L'aquarelle semi-abstraite *Across the Tracks to Shop* est caractéristique de son travail : ses silhouettes dansantes et colorées, à peine esquissées, célèbrent joyeusement la vie.

La beauté chaleureuse des Prairies est parfaitement rendue par David Thauberger dans son grand tableau sans titre (conservé au *Saskatchewan Art Board*). Son œuvre représente principalement des vues de son milieu bâti, c'est-à-dire l'architecture typique de Regina et des localités rurales environnantes, comme celle de son Holdfast natal. Cela n'a toutefois pas toujours été le cas. Thauberger a étudié les arts céramiques et obtenu trois diplômes (dont deux d'universités américaines) avant de commencer à peindre et de revenir à ses racines, d'où jaillit l'inspiration.

In contrast with Thauberger's landscape is Steve Gouthro's *Near the Forks*, a painting of the Winnipeg skyline. The location of the scene – close to the junction of the Assiniboine and Red rivers – not only affords a panoramic view of the city, but is also a focal point of great historical significance. A resident of Winnipeg since his youth in the early 1960s, Gouthro has painted many cityscapes that combine the old and the new and convey a sense of perpetual change.

Vince McIndoe, a 30-year-old commercial artist living in Toronto, has always found beauty in Ontario's metropolis. The featured ornate pie-shaped building in *Toronto, Landmarks of Time,* is one he knows well: for years he used to work across the street and eat his lunch in the small adjacent park. Despite the skyscrapers in the background, the painting succeeds in depicting the city on a human scale.

Antoine Dumas has spent virtually all of his 60 years in Quebec City. He has expressed his keen observations in a variety of media, from book illustration to theatre sets, always using rich and simplified colours and a striking interplay of light and shadow. With typical clarity, he has imbued the painting, *Québec, patrimoine mondial*, with the old city's warmth, history and cosmopolitan character.

Contrastant avec le paysage de Thauberger, le tableau de Steve Gouthro, intitulé *Near the Forks*, présente la silhouette de Winnipeg. L'endroit privilégié est situé à proximité du confluent de la rivière Rouge et de la rivière Assiniboine; en plus d'offrir une vue panoramique de la ville, c'est un lieu de convergence d'une grande importance historique. Habitant Winnipeg depuis le début des années soixante, tandis qu'il était encore un enfant, Gouthro a peint beaucoup de paysages urbains où se côtoient l'ancien et le nouveau et dont émane un sentiment de changement perpétuel.

Âgé de trente ans, le torontois Vince McIndoe est toujours resté sous le charme de la métropole ontarienne. Cet artiste commercial connaît bien l'immeuble qui s'impose au regard dans *Toronto, Landmarks of Time* : des années durant, McIndoe a travaillé dans un édifice situé de l'autre côté de la rue et déjeuné dans le petit jardin public adjacent. Malgré les gratte-ciel à l'arrière-plan, le tableau réussit à nous montrer la dimension humaine de la ville.

À soixante ans, Antoine Dumas a virtuellement passé toute sa vie à Québec. Il a donné libre cours à son sens aigu de l'observation en recourant à une multitude de techniques, de l'illustration de livres aux décors de scène, où les couleurs chaudes et élémentaires sont combinées à un jeu saisissant d'ombre et de lumière. Avec la simplicité qu'on lui connaît, il a imprégné le tableau *Québec, patrimoine mondial* de la chaleur, de l'histoire et du cachet cosmopolite de la vieille ville.

Molly Bobak is renowned for her "people-scapes". She has always painted people, ever since her younger days at the Vancouver School of Art and her stint as Canada's only woman war artist during the Second World War. Since making Fredericton, New Brunswick, her home in 1960, Bobak has painted many large, exuberant crowd scenes, such as *Crowd at City Hall* (Imperial Oil Art Collection), which express her irrepressible enthusiasm for life.

Nova Scotia has been colourfully captured in *Cove Scene* (Art Gallery of Nova Scotia) by folk artist Joseph Norris, who knows the east coast like the back of his hand: he worked as a fisherman until a heart condition forced him to retire. Since picking up a brush for the first time at age 50, he has devoted himself to painting daily life in fishing villages like Lower Prospect, where he lives.

Erica Rutherford lived all over the world before moving to Prince Edward Island in 1971. Born in Scotland, she gave up theatre design and teaching to dedicate herself to painting and printmaking in Canada's small-est province. Like her pastoral milieu, her work, including *Country Scene* (Confederation Centre Art Gallery and Museum), is character-ized by pure colours, clear lines and an overall simplicity and charm.

Molly Bobak est réputée pour ses scènes remplies de personnages. Dès ses débuts à la *Vancouver School of Art*, puis durant la période qu'elle a passée sous les drapeaux à titre de peintre de guerre, l'artiste s'est toujours inspirée de l'humain. Depuis son installation, en 1960, à Fredericton, au Nouveau-Brunswick, Bobak peint de grandes scènes de foule débordantes de vitalité, comme *Crowd at City Hall* (qui fait partie de la collection de l'Impériale), dans laquelle elle exprime son amour irrépressible de la vie.

Dans *Cove Scene* (conservée au Musée des beaux-arts de Nouvelle-Écosse), le peintre naïf Joseph Norris nous offre une Nouvelle-Écosse haute en couleur. La côte n'a pas de secret pour l'ancien pêcheur. Obligé à la retraite pour cause de maladie, Norris donne son premier coup de pinceau à l'âge de cinquante ans. Depuis lors, il consacre son temps à peindre le quotidien de villages de pêche semblables à celui de Lower Prospect où il habite.

Née en Écosse, Erica Rutherford a voyagé abondamment avant de s'établir à l'Île-du-Prince-Édouard en 1971. Abandonnant la création théâtrale et l'enseignement pour s'adonner à la peinture et à la gravure, elle s'enracine dans la plus petite province canadienne. À l'instar de la vie bucolique que mène l'artiste, son œuvre, y compris *Country Scene* (conservée au *Centre de la Confédération*), est caractérisée par la pureté des couleurs et la précision des contours, témoins de la simplicité et du charme qui l'entourent.

Reginald Shepherd was formally trained at the Ontario College of Art in the late 1940s and returned to his native Newfoundland to live and work. But he did more than paint: he and his wife founded the famous Newfoundland Academy of Art in 1949. Shepherd's prints and paintings are pure Newfoundland. They are, however, far more than snapshots of squid jigging or codfishing. Like the serigraph *Off Cape St. Francis*, they are evocations of mood and character.

Ted Harrison considers the Yukon his personal "Shangri-la". After teaching in England (where he was born), Malaysia and New Zealand, he arrived in Canada in the Centennial year and ended up ensconced in the village of Carcross. His academic training in art had left him "all buttoned up", but his new home set him artistically free. *Town Life* (ICI Canada Collection) is a good example of his work. In bold colours and an almost primitive style, it depicts inhabitants against the ubiquitous mountains and a stunning northern sky.

Much farther north, in Holman Island in the Northwest Territories, Agnes Nanogak produces colourful drawings and prints of Inuit life. In addition to recreating such delightful everyday scenes as *Playing on an Igloo* (Mount Saint Vincent University Art Collection), she has become famous for her visual interpretations of myths and legends. She has illustrated two classic books of Inuit stories and continues to draw on the rich storytelling tradition of her family members.

These, then, are the artists and the works of art that have made this magnificent set of stamps possible. Each image is as distinctive as the province it represents. At the same time, all speak of joys and freedoms that are experienced from sea to sea. They remind us that there is unity in diversity, and that this country is indeed worth celebrating.

Reginald Shepherd a reçu sa formation artistique au *Ontario College of Art* vers la fin des années quarante. De retour à Terre-Neuve, sa province natale, il ne se contente pas de peindre : avec son épouse, il fonde, en 1949, la célèbre *Newfoundland Academy of Art*. Les œuvres sur papier et les peintures de Shepherd sont purement terre-neuviennes, dépassant l'intérêt ponctuel créé par des instantanés de pêche à la morue ou de poisson qui mord à l'hameçon garni de calmar. Comme la sérigraphie *Off Cape St. Francis*, elles évoquent avant tout une certaine ambiance et un caractère particulier.

Ted Harrison considère le Yukon comme son ermitage privé. Après avoir enseigné dans son Angleterre natal, en Malaisie et en Nouvelle-Zélande, il arrive au Canada en 1967 et s'installe doucement dans le village de Carcross. Au contact de sa terre d'adoption, l'artiste se libère de la rigueur de sa formation artistique. *Town Life* (de la collection *ICI Canada*) est représentatif de l'œuvre de Harrison : palette osée et style quasi primitif, il peint les habitants de la région, derrière lesquels se détachent les montagnes omniprésentes et un ciel septentrional stupéfiant.

Bien plus au nord, dans les Territoires du Nord-Ouest, précisément à Holman dans l'île Victoria, Agnes Nanogak exécute des gravures et des dessins très colorés sur la vie des Inuit. Outre la représentation de scènes quotidiennes aussi délicieuses que *Playing on an Igloo* (de la collection du musée de l'université *Mount Saint Vincent*), elle doit sa notoriété à ses interprétations visuelles de mythes et de légendes autochtones. Elle a illustré deux recueils de récits inuit, devenus des classiques, et elle continue de s'inspirer de la tradition orale transmise par ses proches.

Voilà donc les artistes et les œuvres qui ont permis de réaliser ces magnifiques vignettes. Chaque image est évocatrice de la province et du territoire qu'elle représente, chacune exprime les joies et les libertés des Canadiens, d'un océan à l'autre. Elles nous rappellent que l'unité est possible dans la diversité et que le pays mérite assurément d'être célébré.

## Winter Olympics: A Canadian Tradition

Some 1,800 athletes from 58 countries gathered in Albertville in the French Alps this February for the XVI Olympic Winter Games. Five of the Games' most popular and spectacular sports are featured this year on commemorative stamps.

Canada began competing in Olympic figure-skating in 1924 at the first Winter Games in Chamonix, France, but Canada didn't gain international prominence in the sport until 1947, when 18-year-old Barbara Ann Scott took the figure-skating world by storm, winning the world championship and later, in 1948, the Olympic gold medal.

Brought to Canada by Scandinavians about 1880, ski jumping was one of Canada's best-attended winter sports earlier in this century – from the Rockies to Mount Royal. By the 1930s, jumping was superseded by alpine skiing, especially in eastern Canada. Almost 50 years later, however, the feats of Horst Bulau and Steve Collins revived Canadian interest in the sport.

## Les Jeux olympiques d'hiver : la fièvre gagne le Canada

En février, les XVIes Jeux olympiques d'hiver qui se sont déroulés à Albertville, dans le décor somptueux des Alpes françaises, ont réuni mille huit cents athlètes de cinquante-huit pays. Parmi les disciplines olympiques les plus spectaculaires et les plus populaires, cinq sports ont été choisis pour former le motif de timbres commémoratifs.

C'est aux premiers Jeux d'hiver, tenus en 1924 à Chamonix, en France, que le Canada fait son entrée sur la scène olympique en participant aux épreuves de patinage artistique. Toutefois, il faudra patienter pour le voir s'illustrer dans le cadre de compétitions internationales. En 1947, Barbara Ann Scott, alors âgée de dix-huit ans, met le monde du patinage artistique en ébullition en remportant le championnat mondial, puis la médaille d'or aux Jeux de 1948.

Introduit au Canada par les Scandinaves vers 1880, le saut à ski est, au début du XXe siècle, l'un des sports d'hiver qui attirent le plus de spectateurs, des Rocheuses au mont Royal. Dans les années 1930, l'intérêt du public pour ce sport diminue au profit du ski alpin, notamment dans l'est du Canada. Près de cinquante ans plus tard, à la faveur des exploits de Horst Bulau et de Steve Collins, le sport est remis à l'honneur au pays.

| Specifications | | Données techniques | |
|---|---|---|---|
| Denomination: | 5 X 42¢ (se tenant, stamp booklet) | Valeur : | 5 X 0,42 $ (se tenant, carnet de timbres) |
| Date of Issue: | 7 February 1992 | Date d'émission : | 7 février 1992 |
| Design: | Katalin Kovats, Gottschalk + Ash International/Peter Adam | Conception : | Katalin Kovats, Gottschalk + Ash International / Peter Adam |
| Printer: | Ashton-Potter Limited | Imprimeur : | Ashton-Potter Limited |
| Quantity: | 15,000,000 | Tirage : | 15 000 000 |
| Dimensions: | 40 mm x 27.5 mm (horizontal) | Format : | 40 mm sur 27,5 mm (horizontal) |
| Printing Process: | Lithography in eleven colours | Procédé d'impression : | lithographie en onze couleurs |
| Pane Layout: | 10 stamps | Présentation : | 10 timbres |

Alpine skiing was also imported to Canada by Scandinavians over a century ago. In the 1930s, several technical developments transformed the sport: the world's first rope tow, for example, was introduced in 1932 in Shawbridge, Quebec. Later, the popularity of downhill and slalom was greatly enhanced by such champions as Anne Heggtveit and Nancy Greene.

"Canada's greatest contribution to world sport", hockey (in its current form) was first played in Montréal in 1875. In international competition, Canada won the first world championship at the 1920 Olympics, and went on to win gold medals at five of the next six Winter Games. Hockey is now an organized sport in at least 20 countries around the world.

Unlike the modern version of the sport, which is highly technical and demanding, bobsled racing got its Canadian start in the form of tobogganing in the 19th century. It wasn't until 1959 that a Canadian team first entered international bobsled competition. Then, at the 1964 Winter Games, Canada won the gold medal and drew considerable attention to the sport.

The speed and excitement of these Olympic sports have been uniquely captured by Katalin Kovats of Gottschalk + Ash International and Peter Adam in Toronto. They created the stamps' intensely colourful designs using computer-generated images and a flourish of crayon work.

Les Scandinaves ont également initié les Canadiens au ski alpin il y a plus d'un siècle. Dans les années 1930, le sport connaît un essor grâce à l'arrivée du premier câble de remontée installé à Shawbridge, au Québec, en 1932. Par la suite, les victoires des skieuses canadiennes de la trempe d'Anne Heggtveit et de Nancy Greene ont grandement contribué à la popularité des épreuves de descente et de slalom.

Selon certains, c'est au hockey que l'apport canadien est le plus important. Dès 1875, le sport se pratique à Montréal. L'équipe du Canada remporte le premier championnat mondial aux Jeux olympiques de 1920, puis elle rafle l'or à cinq reprises aux six Jeux d'hiver suivants. De nos jours, le hockey se joue couramment dans une vingtaine de pays.

Discipline hautement technique et extrêmement exigeante, le bobsleigh a ses origines dans les courses de luge qui se disputaient au Canada dès le XIXe siècle. Ce n'est toutefois qu'en 1959 qu'une équipe canadienne participe à une compétition internationale de bobsleigh. La médaille d'or que remporte le Canada aux Jeux d'hiver de 1964 suscite un vif intérêt pour ce sport.

Katalin Kovats, de la maison torontoise *Gottschalk + Ash International,* et Peter Adam ont su évoquer avec brio la vitesse et l'exaltation caractéristiques de ces cinq disciplines olympiques. À l'aide d'images produites par ordinateur et retouchées au crayon, ils ont créé des motifs hauts en couleur.

## Canada 92 –
## At the Crossroads of History

### The meeting of two civilizations

When he first landed in the Bahamas on 12 October 1492, Christopher Columbus thought he had reached Asia, land of silk, spices, jewels, pearls and gold, all the treasure it had been his mission to find. Turkish expansion had seriously affected the trade in precious goods from the Orient, which had made Venice and Genoa wealthy. A new direct route to the Far East was therefore urgently needed, especially since the Portuguese had established outposts on the African coast which allowed them to monopolize the route to the Indies around the Cape of Good Hope. Convinced that he could reach Asia by sailing west across the Atlantic, Columbus weighed anchor on 3 August 1492.

Little did he suspect that some months later, he would meet men the Europeans would call "savage Indians". Although the whites' domestic goods were appreciated by these peoples, the intruders disrupted native life, and the diseases they introduced, especially measles and smallpox, ravaged the population.

## Canada 92 –
## L'histoire au rendez-vous

### La rencontre de deux civilisations

Le 12 octobre 1492, lorsqu'il pose pied aux Bahamas, Christophe Colomb pense avoir abordé... en Asie, contrée de la soie, des épices, des pierreries, des perles, de l'or... richesses qu'il avait pour mission de trouver. C'est que le négoce des produits précieux de l'Orient, qui avait fait la fortune de Venise et de Gênes, est gravement compromis par l'expansion turque. Il est donc impérieux de trouver une nouvelle voie de communication directe avec l'Extrême-Orient, d'autant plus que les Portugais, qui se sont installés sur les côtes africaines, règnent sans partage sur la route des Indes passant par le cap de Bonne-Espérance. Convaincu qu'il peut atteindre l'Asie en franchissant l'Atlantique vers l'ouest, Colomb s'embarque le 3 août 1492.

Il ne se doute pas que quelques mois plus tard il fera la rencontre d'hommes que l'Européen nommera «Indiens sauvages». Les intrus viennent perturber la vie indigène. Bien que les objets domestiques des Blancs soient appréciés de ces peuples ancestraux, les maladies apportées par les arrivants, notamment la rougeole et la petite vérole, provoquent des ravages. L'eau-de-vie et les armes à feu deviennent elles aussi des fléaux.

With a presence in the vast unconquered territory dating back thousands of years, the natives had learned to draw resources from nature which they adapted to their lifestyle and which were quickly adopted by the Europeans. Thus, the birchbark canoe and snowshoes would play a key role in exploration of the country.

Présents depuis des millénaires sur le vaste territoire qu'il reste à conquérir, les autochtones ont su puiser à même la nature des ressources qu'ils ont adaptées à leur mode de vie et qui sont vite adoptées par les Européens. Ainsi le canot d'écorce et les raquettes, qui joueront un rôle de premier plan dans l'exploration du pays.

*Specifications*

| | |
|---|---|
| *Denomination:* | 2 x 42¢ (se tenant), 48¢, 84¢ |
| *Date of Issue:* | 25 March 1992 |
| *Design:* | Pierre-Yves Pelletier |
| *Illustration:* | Suzanne Duranceau |
| *Printer:* | Canadian Bank Note Co. Ltd. |
| *Quantity:* | 15,000,000 |
| *Dimensions:* | 48 mm x 30 mm (horizontal) |
| *Printing Process:* | 42¢ – Lithography in six colours |
| | 48¢ – Lithography in five colours |
| | 84¢ – Lithography in seven colours |
| *Pane Layout:* | 50 stamps |

*Données techniques*

| | |
|---|---|
| *Valeur :* | 2 x 0,42 $ (se tenant), 0,48 $, 0,84 $ |
| *Date d'émission :* | 25 mars 1992 |
| *Conception :* | Pierre-Yves Pelletier |
| *Illustration :* | Suzanne Duranceau |
| *Imprimeur :* | Canadian Bank Note Co. Ltd. |
| *Tirage :* | 15 000 000 |
| *Format :* | 48 mm sur 30 mm (horizontal) |
| *Procédé d'impression :* | 0,42 $ – lithographie en six couleurs |
| | 0,48 $ – lithographie en cinq couleurs |
| | 0,84 $ – lithographie en sept couleurs |
| *Présentation :* | 50 timbres |

### Exploration of the North American continent

Jacques Cartier was the first European to seriously study the geography of North America. On a mission to find gold, the explorer left Saint-Malo, France, on 20 April 1534 and arrived in the Baie de Gaspé on 24 July, after stopping to thoroughly explore the Gulf of St. Lawrence and trading with the Micmacs in Chaleur Bay. While Cartier brought no gold back from this first voyage to the new world, his detailed observations of the lands he encountered, the fauna and flora, and the habits and customs of the natives were also treasures that broadened Europe's knowledge of the Americas.

On a second voyage, in 1535, the Iroquois introduced him to the St. Lawrence, "the large river of Hochelaga and highway of Canada", and its tributaries. The accounts of Cartier's travels were used to produce a map in 1546 that for the first time included the word Canada, from *Kanata*, a Huron word meaning "village".

Sailing past Ile-aux-Coudres, Cartier stopped at Stadacona, now the site of Quebec City, and continued on to Hochelaga, subsequently renamed Ville-Marie, and then Montréal.

### L'exploration du continent nord-américain

C'est Jacques Cartier qui, le premier, s'attache à étudier la géographie du continent nord-américain. Chargé de trouver de l'or, l'explorateur quitte Saint-Malo, en France, le 20 avril 1534 et arrive dans la baie de Gaspé le 24 juillet suivant. Si Cartier ne ramène pas d'or de ce premier voyage au Nouveau Monde, ses observations sur les paysages qu'il a croisés, sur la faune et la flore, et sur les us et coutumes des autochtones sont autant de richesses qui approfondissent la connaissance qu'ont les Européens de l'Amérique.

Lors d'un deuxième voyage en 1535, les Iroquois lui font découvrir le Saint-Laurent, «le grand fleuve de Hochelaga et chemin du Canada», et ses affluents. Grâce aux récits de voyages de Cartier est dressée, en 1546, une carte sur laquelle figure pour la première fois le mot Canada, qui viendrait de *Kanata*, terme d'origine huronne qui signifierait «village».

Poursuivant sa route au-delà de l'île aux Coudres, Cartier s'arrête à Stadaconé, emplacement actuel de la ville de Québec, et remonte jusqu'à Hochelaga, qui portera ensuite les noms de Ville-Marie et de Montréal.

### Ville-Marie, mystical town

In France, the Associés de Notre-Dame were actively recruiting settlers to carry out a project dear to their hearts: to found a settlement on the island of Montréal devoted to conversion of the "Savages". In May 1641, Maisonneuve, Jeanne Mance and some 40 settlers left Larochelle to found Ville-Marie. On 15 October of that same year, Maisonneuve took possession of the island and the following spring a religious celebration marked the official founding of Ville-Marie.

The post farthest up the St. Lawrence Valley, Ville-Marie was on the route used by the Iroquois and the settlers soon had to cope with the constant threat of hostilities. The new colony might have been abandoned had it not been for the perseverance of its founders, who on 4 January 1648 made the very first land grant, 15 arpents extending from Saint-Pierre Street to today's McGill College Avenue. This event was the real starting point of the settlement of Ville-Marie, the prelude to modern-day Montréal.

### Montréal, modern city

Originally an important fur-trading centre, Montréal became a city increasingly devoted to trade by the end of the 18th century, through settlement of the surrounding country and an influx of immigrants. Development of the St. Lawrence canal system and construction of the railways made Montréal a transportation hub and, at the dawn of the 20th century, proud claimant to the title of Canada's largest city.

### Ville-Marie, ville mystique

En France, les Associés de Notre-Dame s'emploient activement à recruter des colons afin de réaliser le projet qui leur tient à cœur : fonder sur l'île de Montréal une ville consacrée à la conversion des «Sauvages». C'est ainsi qu'en mai 1641, Maisonneuve, Jeanne Mance et une quarantaine de colons quittent Larochelle pour fonder Ville-Marie. Le 15 octobre de la même année, Maisonneuve prend possession de l'île et, le printemps suivant, une célébration religieuse marque la fondation officielle de Ville-Marie.

Poste le plus avancé dans la vallée du Saint-Laurent, Ville-Marie se trouve sur le chemin qu'empruntent les Iroquois, et ses habitants doivent bientôt faire face à la menace constante d'hostilités. La nouvelle colonie aurait peut-être été abandonnée sans la persévérance de ses fondateurs qui, le 4 janvier 1648, procèdent à la toute première concession de terre, quinze arpents s'étendant de la rue Saint-Pierre à l'actuelle avenue McGill College. Cet événement donne le véritable coup d'envoi à la colonisation de Ville-Marie, prélude à Montréal, la cité moderne.

### Montréal, ville moderne

D'important centre de traite des fourrures, Montréal devient, dès la fin du XVIII$^e$ siècle, grâce à la colonisation de l'arrière-pays et à l'afflux des immigrants, une ville de plus en plus vouée au commerce. Le développement du réseau de canalisation du Saint-Laurent et la construction de chemins de fer font de Montréal une ville-pivot qui, à l'aube du XX$^e$ siècle, porte fièrement le nom de métropole du Canada.

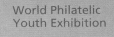

Exposition philatélique
mondiale de la jeunesse

World Philatelic
Youth Exhibition

Montréal
25-29 mars 1992

Montréal
25-29 March 1992

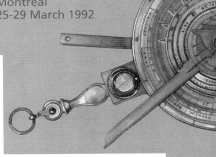

Premier sceau des armes
de la Cité de Montréal
adopté le 19 juillet 1833

First seal of the Coat of Arms
of the City of Montréal
adopted 19 July 1833

| *Specifications* | | *Données techniques* | |
|---|---|---|---|
| *Denomination:* | 2 x 42¢, 48¢, 84¢ (se tenant, souvenir sheet) | *Valeur :* | 2 x 0,42 $, 0,48 $, 0,84 $ (se tenant, feuillet-souvenir) |
| *Date of Issue:* | 25 March 1992 | *Date d'émission :* | 25 mars 1992 |
| *Design:* | Pierre-Yves Pelletier | *Conception :* | Pierre-Yves Pelletier |
| *Illustration:* | Suzanne Duranceau | *Illustration :* | Suzanne Duranceau |
| *Printer:* | Canadian Bank Note Co. Ltd. | *Imprimeur :* | Canadian Bank Note Co. Ltd. |
| *Quantity:* | 400,000 | *Tirage :* | 400 000 |
| *Dimensions:* | 180 mm x 126 mm (horizontal) | *Format :* | 180 mm sur 126 mm (horizontal) |
| *Printing Process:* | Lithography in eleven colours | *Procédé d'impression :* | lithographie en onze couleurs |
| *Pane Layout:* | 4 stamps | *Présentation :* | 4 timbres |

The Great Depression in 1929 sorely tried Montréal, but the Second World War, which stimulated employment, opened the way to new prosperity. The 1950s and 1960s were marked by successive waves of immigration. The Métro opened in 1966, followed by Expo 67, the 1976 Olympics and Les Floralies internationales in 1980, only a few of the events that established its reputation as a friendly city.

The 350th anniversary of the founding of the second-largest French speaking city in the world has been marked in many ways, particularly the choice of Montréal as the site of Canada 92, the World Youth Philatelic Exhibition, from 25 to 29 March 1992.

La crise économique de 1929 éprouve Montréal, mais en revanche, la Seconde Guerre mondiale, qui stimule l'emploi, lui ouvre la voie à la prospérité. Les années 1950 et 1960 ont été marquées par des vagues successives d'immigration. En 1966, la ville se dote d'un métro. L'Expo 67, les Jeux olympiques d'été de 1976 et les Floralies internationales, en 1980, ne sont que quelques-unes des manifestations qui ont fait sa renommée de ville accueillante.

Le trois cent cinquantième anniversaire de la deuxième ville française au monde a été souligné de maintes façons, notamment par la tenue à Montréal de Canada 92, l'Exposition philatélique mondiale de la jeunesse, du 25 au 29 mars 1992.

### Canada's River Heritage: The Routes of Industry and Commerce

In addition to their priceless scenic beauty, many of Canada's rivers have been instrumental in the development of our natural resource industries.

"The noblest stream in all of Nova Scotia", the Margaree River is world-renowned for its salmon and gaspereau fisheries. The Margaree rises in the spectacular Cape Breton Highlands and courses down through farmland and wetlands before emptying into the Northumberland Strait. En route, it supports the area's fishing, farming, logging and tourist industries.

Prince Edward Island's picturesque Eliot or West River is a prime example of the tidal rivers so characteristic of the province. Stretching from the Bonshaw area to the Charlottetown harbour, it historically served as an important ferry route. The river now provides a resource base for potato farmers and oyster fishermen alike, as well as a wealth of recreational activities for tourists.

For centuries, the Ottawa River was the main highway from Montréal into the Canadian interior for fur-trading voyageurs. The river then became the centre of Canada's timber trade by providing a conduit for the massive square timbers cut from the valley's pine forests.

### Les voies du développement industriel et du commerce

En plus d'offrir de magnifiques panoramas, bon nombre des cours d'eau du Canada ont joué un rôle crucial dans le développement des industries d'exploitation des ressources naturelles.

Parfois qualifiée de cours d'eau le plus noble de la Nouvelle-Écosse, la rivière Margaree est réputée dans le monde entier pour la pêche au saumon et au gaspareau. Elle naît dans les hautes-terres du Cap-Breton au relief tourmenté et coule à travers terres arables et marécages avant de se jeter dans le détroit de Northumberland. Chemin faisant, elle profite à la pêche, à l'agriculture, à la sylviculture et au tourisme.

La rivière de l'Ouest, aussi appelée rivière Eliot, constitue un exemple parfait des cours d'eau à marées si typiques de l'Île-du-Prince-Édouard. Jadis une voie importante pour les traversiers, elle prend sa source dans la région de Bonshaw et conduit jusqu'au port de Charlottetown. Outre les innombrables activités récréatives qu'elle offre aux touristes, elle est indissociable de la culture de la pomme de terre et de la pêche huîtrière.

Reliant Montréal et l'intérieur du pays, la rivière des Outaouais fut, des siècles durant, la grand-route de la traite des fourrures. Ensuite, la rivière se trouva au cœur du commerce du bois : y étaient acheminés les énormes billots de pin en grume provenant des forêts de la vallée.

Today, log rafting has been replaced by white-water rafting and other world-class tourist attractions in the National Capital Region.

What the Niagara River lacks in size, it makes up for in power. Its extreme depth gives the Niagara an average flow of 5,700 cubic metres per second – enough to generate hydroelectric power for much of central Canada and the northeastern United States. Its famous falls have become a mecca for tourists, especially honeymooning couples.

The two arms of the Saskatchewan River, with a combined length of about 1,939 kilometres, drain much of the farmland of Alberta and Saskatchewan. The South Saskatchewan has become particularly valuable to residents in recent years. The damming of the river and subsequent creation of Lake Diefenbaker in 1967 have ensured a dependable supply of water for agriculture, as well as wetland habitats for prairie wildlife.

Aujourd'hui, le flottage du bois a cédé la place à la descente en eaux vives. La rivière des Outaouais est maintenant au nombre des attractions touristiques de renommée internationale.

Malgré des dimensions modestes, la rivière Niagara est dotée d'un courant très puissant grâce à sa grande profondeur. Son débit moyen se chiffre à 5700 mètres cubes à la seconde, ce qui suffit à la production de l'énergie hydro-électrique nécessaire pour alimenter la majeure partie des provinces centrales du Canada et du nord-est des États-Unis. Haut lieu touristique, ses célèbres chutes sont particulièrement appréciées par les couples en voyage de noces.

Ensemble, les deux bras de la rivière Saskatchewan couvrent 1939 kilomètres et baignent une grande partie des terres agricoles de l'Alberta et de la Saskatchewan. Depuis plusieurs années, la Saskatchewan Sud occupe une place prépondérante dans la vie quotidienne de la population. Des barrages-

Specifications

| | |
|---|---|
| Denomination: | 5 X 42¢ (se tenant, stamp booklet) |
| Date of Issue: | 22 April 1992 |
| Design: | Malcolm Waddell |
| Illustration: | Jan Waddell |
| Printer: | Ashton-Potter Limited |
| Quantity: | 15,000,000 |
| Dimensions: | 48 mm x 30 mm (horizontal) |
| Printing Process: | Lithography in five colours |
| Pane Layout: | 10 stamps |

Données techniques

| | |
|---|---|
| Valeur: | 5 x 0,42 $ (se tenant, carnet de timbres) |
| Date d'émission: | 22 avril 1992 |
| Conception: | Malcolm Waddell |
| Illustration: | Jan Waddell |
| Imprimeur: | Ashton-Potter Limited |
| Tirage: | 15 000 000 |
| Format: | 48 mm sur 30 mm (horizontal) |
| Procédé d'impression: | lithographie en cinq couleurs |
| Présentation: | 10 timbres |

The second in a series devoted to Canada's river heritage, these stamps were again illustrated by Jan Waddell and designed by Malcolm Waddell, both of Toronto.

réservoirs et le lac Diefenbaker, aménagé en 1967, assurent l'approvisionnement en eau nécessaire à l'irrigation des terres agricoles et à la préservation des habitats marécageux qui abritent une part importante de la faune des Prairies.

À nouveau, les artistes torontois Jan Waddell et Malcolm Waddell signent respectivement l'illustration et le motif de ce deuxième jeu de timbres-poste de la série consacrée aux fleuves et rivières du patrimoine canadien.

### The Alaska Highway – Gateway to the North

In 1942, 11,500 American troops and 7,500 civilians forged an overland route through dense forest, muskeg, rivers and mountains from Dawson Creek, British Columbia, to Fairbanks, Alaska. They achieved one of the greatest engineering feats of our century, completing 2,400 kilometres of road in just eight months.

The construction of the Alaska Highway was actually spurred by fears of a northern invasion by Japanese forces after the bombing of Pearl Harbour. Although the attack never occurred, Japan did bomb Dutch Harbour and occupy the Aleutian Islands off Alaska during World War II.

### La route de l'Alaska, porte du Nord

En 1942, onze mille cinq cents soldats américains et sept mille cinq cents civils s'attellent à la construction d'une voie de communication terrestre, de Dawson Creek, en Colombie-Britannique, à Fairbanks, en Alaska, qui doit traverser des forêts denses, courir sur de vastes fondrières, franchir rivières et montagnes. Le fruit de leur labeur est l'un des exploits du siècle dans le domaine du génie : la route de l'Alaska, qui parcourt deux mille quatre cents kilomètres, aura été aménagée en huit mois.

C'est la crainte d'une invasion japonaise au nord, après le bombardement de Pearl Harbour, qui a motivé la construction de la route de l'Alaska. Bien que l'attaque redoutée ne se soit jamais produite, le Japon a bombardé Dutch Harbour et occupé les îles Aléoutiennes au large de l'Alaska pendant la Seconde Guerre mondiale.

The United States provided the human resources and equipment to build the road, while Canada supplied the right-of-way and materials.

Construction on the roadway began in March 1942. Regiments started work at both ends of the route, while others were airlifted to sites in between to strike out in both directions. In winter, temperatures sometimes dropped so low that bulldozer blades would shatter like glass. Summer brought new perils: swarms of insects, and bottomless muskeg that swallowed trucks and trailers whole. After crossing five mountain ranges and erecting some 130 bridges, the men completed their mission. The first permanent overland route to Alaska was officially opened on 20 November 1942.

The construction of the Alaska Highway triggered dramatic population growth in the North, and opened up access to vast oil, mineral and forest resources. It also had an irreversible effect on the traditional lifestyle of the native peoples, who had remained largely untouched by modern society.

Today, thousands of Canadian and American tourists follow this spectacular corridor every year to explore the mystery and majesty of the North.

Jacques Charette of Hull, Quebec, designed this stamp commemorating the 50th anniversary of the Alaska Highway's construction. Vivid illustrations by Vivian Laliberté depict a map of the historic route and the men who carved their path through the wilderness.

Pour la construction de la route, les États-Unis fournirent la main-d'œuvre et l'équipement, et le Canada, en plus d'accorder le droit de passage sur son territoire, procura les matériaux.

Les travaux débutent en mars 1942. Pour accélérer la construction, des régiments sont affectés aux deux extrémités du tracé, tandis que d'autres sont transportés par avion à divers points médians. Parfois, en hiver, le froid est si vif que les lames des bouteurs se brisent comme du verre. L'été apporte son lot de nouvelles difficultés : des nuées d'insectes s'acharnent après les travailleurs, et camions et remorques sont engloutis dans les fondrières. Malgré les difficultés, les équipes remplissent leur mission : elles ont franchi cinq chaînes de montagnes et construit quelque cent trente ponts. Le 20 novembre 1942, la première voie terrestre menant à l'Alaska est officiellement ouverte.

La construction de la route de l'Alaska entraîne une poussée démographique spectaculaire dans le Nord et donne accès à de vastes ressources pétrolières, minières et forestières. Elle modifie irrévocablement le mode de vie traditionnel des autochtones de cette région que la société moderne avait, en grande partie, laissés à l'écart.

Chaque année, des milliers de touristes canadiens et américains empruntent cette voie impressionnante pour explorer les mystères du Nord majestueux.

C'est au Québécois Jacques Charette, de Hull, que l'on doit le motif de ce timbre-poste qui souligne le cinquantenaire de la construction de la route de l'Alaska. L'illustration de Vivian Laliberté et la carte de cette route historique rendent hommage aux bâtisseurs qui ont bravé une nature indomptable.

| Specifications | | Données techniques | |
|---|---|---|---|
| Denomination: | 42¢ | Valeur : | 0,42 $ |
| Date of Issue: | 15 May 1992 | Date d'émission : | 15 mai 1992 |
| Design: | Jacques Charette | Conception : | Jacques Charette |
| Illustration: | Vivian Laliberté | Illustration : | Vivian Laliberté |
| Printer: | Canadian Bank Note Co. Ltd. | Imprimeur : | Canadian Bank Note Co. Ltd. |
| Quantity: | 15,000,000 | Tirage : | 15 000 000 |
| Dimensions: | 30 mm x 40 mm (vertical) | Format : | 30 mm sur 40 mm (vertical) |
| Printing Process: | Lithography in five colours | Procédé d'impression : | lithographie en cinq couleurs |
| Pane Layout: | 50 stamps | Présentation : | 50 timbres |

### Summer Olympics: Five Venerable Sports

The picturesque city of Barcelona in Spain played host to the Games of the XXV Olympiad this summer. Of the 25 competitive sports and three demonstration sports showcased at the Games, five of the oldest and most popular are featured on these commemoratives.

Although the wheel was invented in prehistoric times, the bicycle is only about 150 years old. The first pedal-driven bicycles, known as "boneshakers", were equipped with wooden or steel wheels. The technology evolved so quickly, however, that bicycle racing soon became extremely popular and was included in the first modern Olympic Games in 1896 in Athens.

### Cinq sports vénérables aux Jeux olympiques d'été

C'est la pittoresque ville de Barcelone, en Espagne, qui a accueilli l'été dernier les XXVes jeux de l'Olympiade. Les timbres commémoratifs soulignant ce grand festival présentent cinq sports aussi anciens que populaires. Au total, le programme olympique regroupait vingt-cinq sports de compétition et trois sports de démonstration.

Bien que l'invention de la roue remonte à la préhistoire, la bicyclette n'a qu'environ cent cinquante ans. Plutôt éreintants, les premiers vélocipèdes à pédales étaient munis de roues en bois ou en acier. Toutefois, des versions améliorées de l'appareil se sont rapidement succédées, et les courses cyclistes n'ont pas tardé à devenir extrêmement populaires. Le cyclisme était déjà à l'honneur aux premiers Jeux olympiques de l'ère moderne, célébrés à Athènes en 1896.

| Specifications | | Données techniques | |
|---|---|---|---|
| Denomination: | 5 x 42¢ (se tenant, stamp booklet) | Valeur : | 5 x 0,42 $ (se tenant, carnet de timbres) |
| Date of Issue: | 15 June 1992 | Date d'émission : | 15 juin 1992 |
| Design: | Katalin Kovats, | Conception : | Katalin Kovats, |
| | Gottschalk + Ash International/Peter Adam | | Gottschalk + Ash International / Peter Adam |
| Printer: | Ashton-Potter Limited | Imprimeur : | Ashton-Potter Limited |
| Quantity: | 15,000,000 | Tirage : | 15 000 000 |
| Dimensions: | 40 mm x 27.5 mm (horizontal) | Format : | 40 mm sur 27,5 mm (horizontal) |
| Printing Process: | Lithography in eleven colours | Procédé d'impression : | lithographie en onze couleurs |
| Pane Layout: | 10 stamps | Présentation : | 10 timbres |

Diving and swimming date back as far as the ancient Greeks, Romans and Egyptians, although neither became a competitive sport until recent times. Fancy competitive diving as we know it today originated in Germany and Sweden in the 19th century and was introduced into the Olympics in 1904. The sport still consists of platform and springboard events.

It was the British who brought swimming indoors in the mid-19th century by building large indoor "tanks". The Australians introduced Europeans to the "crawl", a stroke that was much faster than the customary breaststroke and marked the beginning of speed swimming.

Gymnastics also originated in ancient cultures but did not take on any of its present-day trappings until the early 1800s, when a German introduced such apparatus as the horizontal bar, the parallel bars and the rings. Initially, only men engaged in gymnastics, but in 1952, the Olympics began featuring women's events.

Running, an Olympic event since the ancient Games more than 2,000 years ago, is one of many events that comprise track and field. Although most events have remained the same, the performances keep getting better and better: Olympic competitors are continually breaking previous records, exemplifying the Olympic motto, "Faster, higher, stronger".

Like the stamps commemorating the Winter Olympics, these were designed by Katalin Kovats and Peter Adam.

Dès l'Antiquité, les Grecs, les Romains et les Égyptiens pratiquaient le plongeon et la natation. Pourtant, ces sports ont acquis leurs lettres de noblesse il n'y a pas si longtemps. En effet, le plongeon de compétition moderne a vu le jour en Allemagne et en Suède au XIXe siècle. Des épreuves de plongeon, qui se déroulent au haut vol et au tremplin, sont disputées aux olympiades depuis 1904.

Les Britanniques ont propagé la pratique de la natation en piscine couverte vers le milieu du XIXe siècle, grâce à la construction de grands «bassins» intérieurs. Les Australiens ont introduit le crawl en Europe. Plus rapide que la brasse, le crawl a ouvert la voie à la natation de compétition.

Les civilisations antiques nous ont aussi légué la gymnastique, mais ce n'est qu'à l'aube du XIXe siècle qu'apparaissent les épreuves aux agrès grâce à l'invention, par un Allemand, d'appareils tels la barre fixe, les barres parallèles et les anneaux. Au début, seuls les hommes s'adonnaient à la gymnastique; les épreuves féminines viendront enrichir le programme olympique en 1952.

Parmi les multiples épreuves d'athlétisme, la course figurait déjà au programme des jeux panhelléniques à Olympie il y a plus de deux mille ans. Si bon nombre des épreuves ont peu changé au fil des ans, les performances des athlètes, elles, vont en s'améliorant! Fidèles à la devise olympique *Plus vite, plus haut, plus fort,* les sportifs en lice ne cessent de battre les records établis.

Comme les timbres consacrés aux Jeux olympiques d'hiver, ces vignettes sont l'œuvre de Katalin Kovats et de Peter Adam.

## Masterpieces of Canadian Art:
### *Red Nasturtiums*

At first glance, most paintings by David Milne (1882-1953) appear deceptively simple, but each oil and watercolour represents a relentless effort by the artist to perfect and refine his work, to reduce each visual "statement" to its essentials. Milne himself once wrote about the economy of his style with reference to his Scottish ancestry: "I like to think that my leaning toward simplicity in art is a translation of hereditary thrift, or stinginess, into a more attractive medium." Of course, "attractive" is an understatement: in his long and prolific career (over 2,000 paintings in about 50 years), Milne succeeded in creating some of the most original and unforgettable work in the history of Canadian art. Milne did not, however, receive the same attention in Canada as his contemporaries in the Group of Seven – perhaps because his paintings were more delicate than bold in style, and because he was a modest and reclusive man who spent more than 20 years in the United States.

## Chefs-d'œuvre de l'art canadien –
### *Capucines rouges*

À première vue, la plupart des toiles de David Milne (1882-1953) semblent empreintes d'une trop grande simplicité. Mais l'artiste a voulu, dans chaque huile et dans chaque aquarelle, peaufiner son travail pour faire ressortir l'essentiel du message visuel. Faisant référence à son ascendance écossaise, Milne a déjà écrit au sujet de son style dépouillé : «J'aimerais croire que mon penchant pour la simplicité dans l'art découle d'une parcimonie ou d'une économie héréditaire qui fait de mes tableaux un moyen d'expression plus attrayant.» «Attrayant», c'est peu dire. Au cours de sa longue carrière prolifique (plus de deux mille toiles en quelque cinquante ans), Milne a réussi à créer des tableaux qui sont parmi les œuvres les plus originales et les plus inoubliables produites par un artiste canadien. Ses compatriotes ne lui ont cependant pas accordé autant d'attention que ses contemporains du Groupe des sept – peut-être parce que le style de ses toiles était plus délicat qu'audacieux et parce qu'il était un homme réservé et solitaire qui a vécu plus de vingt ans aux États-Unis.

Specifications

| Denomination: | 50¢ |
| Date of Issue: | 29 June 1992 |
| Design: | Pierre-Yves Pelletier |
| Printer: | Ashton-Potter Limited |
| Quantity: | 6,700,000 |
| Dimensions: | 40 mm x 48.5 mm (vertical) |
| Printing Process: | Lithography in six colours with metallic foil stamping in two colours |
| Pane Layout: | 16 stamps |

Données techniques

| Valeur : | 0,50 $ |
| Date d'émission : | 29 juin 1992 |
| Conception : | Pierre-Yves Pelletier |
| Imprimeur : | Ashton-Potter Limited |
| Tirage : | 6 700 000 |
| Format : | 40 mm sur 48,5 mm (vertical) |
| Procédé d'impression : | lithographie en six couleurs avec estampage à chaud en deux couleurs |
| Présentation : | 16 timbres |

In 1903, Milne left his job as a schoolteacher in his hometown of Paisley, Ontario, to study art in New York City. Five years later, he began to exhibit his paintings. In another five years, he was invited to contribute to a revolutionary international exhibition called the Armory Show, where his paintings were displayed with those of artists such as Picasso, Cézanne and Matisse.

By 1916, Milne had moved to rural New York State where, except for a stint as an official Canadian war artist in Europe, he lived and worked for 12 years. During that period, he developed the sparse, calligraphic style that would become the hallmark of his work. Then, in 1928, Milne returned permanently to Ontario and immersed himself in the wilderness that he so loved to paint. At Six Mile Lake, north of Orillia, he built himself a cabin where he lived alone for seven years, creating some of the finest work of his career. He also sought out and won the patronage of Alice and Vincent Massey, who provided him with the financial and psychological support he so desperately needed. As a result, Milne's landscapes and still lifes finally began to achieve the recognition they deserved.

*Red Nasturtiums*, a watercolour painted at Six Mile Lake, represents a breakthrough in Milne's work. Unlike his carefully controlled earlier work, it is characterized by bold colour and spontaneous brushwork. The painting has been exquisitely reproduced on this year's stamp in the Canadian Masterpieces series designed by Pierre-Yves Pelletier of Montréal.

Enseignant dans sa ville natale de Paisley, en Ontario, il décide, en 1903, d'aller étudier l'art à New York. Cinq ans plus tard, il commence à exposer ses toiles. Dès 1913, il est invité à participer au *Armory Show*, une exposition internationale d'envergure où ses tableaux côtoient les Picasso, les Cézanne et les Matisse.

En 1916, Milne s'installe à la campagne dans l'État de New York où il vit pendant douze ans, à l'exception d'un séjour en Europe comme peintre officiel de guerre pour le compte du Canada. C'est au cours de cette période qu'il développe le style clairsemé et calligraphique qui marquera son œuvre. En 1928, Milne revient définitivement en Ontario pour se plonger dans les paysages sauvages qu'il privilégie. Au lac Six Mile, situé au nord d'Orillia, il se construit une retraite et crée, au cours des sept années suivantes, certains de ses plus beaux tableaux. La rencontre de Alice et Vincent Massey lui permet d'obtenir l'appui moral et financier dont il a tant besoin. Grâce à ce couple, les paysages et les natures mortes de l'artiste acquièrent une renommée bien méritée.

Le tableau intitulé *Capucines rouges*, une aquarelle réalisée au cours du séjour du peintre au lac Six Mile, constitue un tournant important dans l'œuvre de l'artiste. S'écartant de son style habituel, marqué par la maîtrise de son art, Milne opte pour des couleurs plus audacieuses et un coup de pinceau plus spontané. Le tableau ornant la vignette de la série *Chefs-d'œuvre de l'art canadien* a été magnifiquement reproduit par le graphiste montréalais Pierre-Yves Pelletier.

## Canada Day: 125!

Canada's birthday was not confined to July 1 this year. It was celebrated all year long with hundreds of events that were not only fun but also constructive.

There were cycling events that benefitted the environment as well as the health of the 150,000 participants. There was a National Neighbourhood Party to promote safer and friendlier neighbourhoods. There were art exhibitions, music festivals and a television series of "video postcards" produced by young Canadians travelling across the country. There was even an expedition to the North Pole. To make a long story short, we learned more about Canada and each other – and took great pride and pleasure in both.

Canada Post went all out this year to celebrate our 125th birthday. Every province and territory is represented by a painting, each by a different artist, on this 12-stamp set designed by Pierre-Yves Pelletier of Montréal. The unusual pane, containing Canada's first diamond-shaped stamps, is emblazoned with a rainbow – a symbol of hope for Canada's future.

## Les 125 ans du Canada

Les centaines d'activités qui se sont déroulées tout au long de l'année pour souligner la fête du Canada ont été à la fois divertissantes et fécondes.

Quelque cent cinquante mille participants, soucieux de leur environnement et de leur santé, ont enfourché leur vélo pour prendre part à des activités de cyclisme. Pour promouvoir la sécurité des quartiers et mieux connaître ceux et celles qui les animent, on a organisé une fête de quartier à l'échelle nationale. Expositions, festivals de musique, messages télévisés produits par des jeunes qui ont parcouru le pays et même une expédition au pôle Nord sont autant de manifestations auxquelles ont participé bon nombre de Canadiens. En bref, notre vision du Canada s'est enrichie, et la fête a été célébrée dans la joie et la fierté.

La Société canadienne des postes n'a rien négligé pour célébrer le cent vingt-cinquième anniversaire du Canada. Elle a choisi d'illustrer, dans un feuillet de douze timbres conçu par le graphiste montréalais Pierre-Yves Pelletier, une scène de chaque province et de chaque territoire au moyen de tableaux d'artistes locaux. Le feuillet exceptionnel, contenant les premiers timbres canadiens en forme de losange, est traversé d'un arc-en-ciel en arrière-plan – présage d'un avenir prometteur.

| Specifications | |
|---|---|
| Denomination: | 12 x 42¢ (se tenant, souvenir sheet) |
| Date of Issue: | 29 June 1992 |
| Design: | Pierre-Yves Pelletier |
| Printer: | Ashton-Potter Limited |
| Quantity: | 10,000,000 |
| Dimensions: | Stamp – 32 mm x 32 mm (lozenge) |
| | Sheet – 192 mm x 256 mm (vertical) |
| Printing Process: | Lithography in five colours |
| Pane Layout: | 12 stamps |

| Données techniques | |
|---|---|
| Valeur : | 12 x 0,42 $ (se tenant, feuillet-souvenir) |
| Date d'émission : | 29 juin 1992 |
| Conception : | Pierre-Yves Pelletier |
| Imprimeur : | Ashton-Potter Limited |
| Tirage : | 10 000 000 |
| Format : | timbre – 32 mm sur 32 mm (losange) |
| | feuillet – 192 mm sur 256 mm (vertical) |
| Procédé d'impression : | lithographie en cinq couleurs |
| Présentation : | 12 timbres |

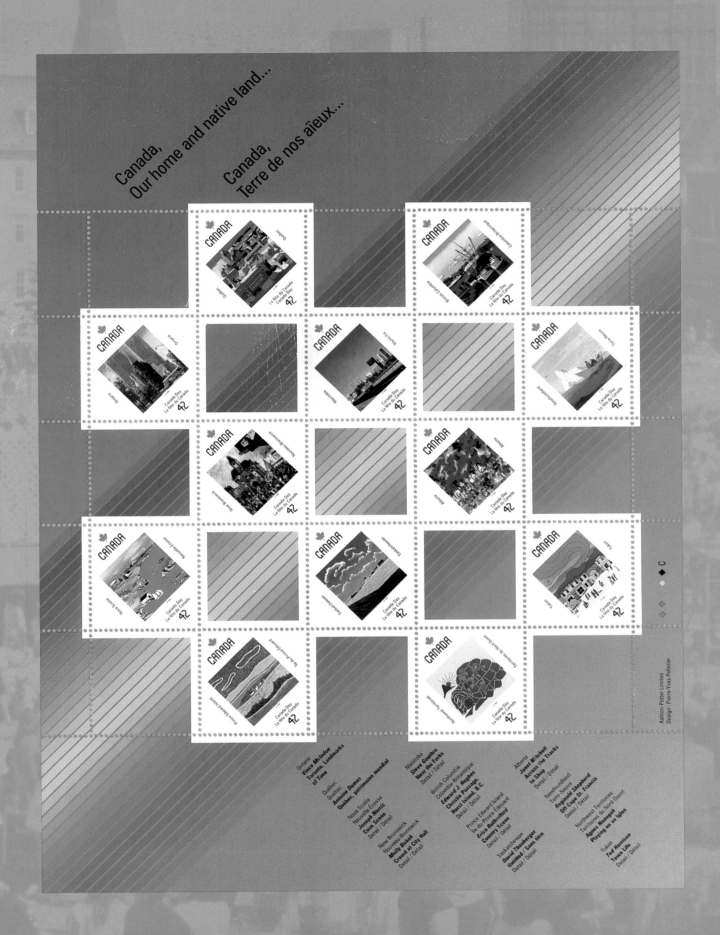

Canada,
Our home and native land...

Canada,
Terre de nos aïeux...

Ontario
**Vince McInloe**
**Toronto, Landmarks**
**ol Time**

Québec
Québec
**Antoine Dumas**
**Québec, patrimoine mondial**

Nova Scotia
Nouvelle-Écosse
**Joseph Norris**
**Cove Scene**
Detail / Détail

New Brunswick
Nouveau-Brunswick
**Molly Bobak**
**Crowd at City Hall**

Manitoba
**Steve Gouthro**
**Near the Forks**
Detail / Détail

British Columbia
Colombie-Britannique
**Edward J. Hughes**
**Christie Passage,**
**Nurst Island, B.C.**
Detail / Détail

Prince Edward Island
Île-du-Prince-Édouard
**Erica Rutherford**
**Country Scene**
Detail / Détail

Saskatchewan
**David Thauberger**
**Untitled / Sans titre**
Detail / Détail

Alberta
**Janet Mitchell**
**Across the Tracks**
**to Shop**
Detail / Détail

Newfoundland
Terre-Neuve
**Reginald Shepherd**
**Off Cape St. Francis**
Detail / Détail

Northwest Territories
Territoires du Nord-Ouest
**Agnes Nanogak**
**Playing on an Igloo**

Yukon
**Ted Harrison**
**Town Life**
Detail / Détail

Ashton-Potter Limited
Design: Pierre-Yves Pelletier

◆ C

25

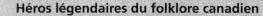

Among the hardy pioneers who settled this country, some performed feats of extraordinary strength and courage. Although not widely recognized, the adventures of these humble heroes have inspired many legends in the regions of Canada where they lived.

Lumberman Joseph Montferrand earned fame from one end of the Ottawa River to the other for his amazing physical strength. (They say that in 1829 he single-handedly routed a gang of 150 rival lumberjacks who had tried to ambush him.) But Jos also had the agility of an acrobat – once leaving the imprint of his spiked boot on the ceiling of a tavern – as well as the piety of a saint.

Ever since 9 October 1867, the name of William Jackman has been a household word in Newfoundland. A seasoned fishing and sealing captain, Jackman displayed almost superhuman endurance and bravery during a vicious gale off the coast of Labrador: he rescued 27 people from a schooner that had run aground on a reef almost 200 metres from shore. How? By swimming out to the wreck 27 times and bringing each survivor on his back to safety!

Parmi les audacieux pionniers qui ont colonisé le pays, certains ont fait preuve d'un courage et d'une force extraordinaires. Les exploits et les aventures de ces humbles héros, souvent méconnus hors de la région où ils ont vécu, ont alimenté d'innombrables légendes.

Le bûcheron Jos Montferrand a acquis sa renommée grâce à ses tours de force incroyables qui ont fait la rumeur d'un bout à l'autre de la rivière des Outaouais. (On rapporte qu'en 1829, il déjoue à lui seul cent cinquante voyous d'une bande rivale de bûcherons protestants qui lui tendaient un piège.) Acrobate agile – le colosse a déjà laissé l'empreinte de sa botte au plafond d'une taverne – Jos était également animé d'une grande piété.

Le nom de William Jackman résonne dans le cœur des Terre-Neuviens depuis son exploit du 9 octobre 1867. Capitaine, pêcheur et chasseur de phoques chevronné, Jackman fait preuve d'une endurance et d'une bravoure surhumaines au fort d'une tempête qui fait rage au large du Labrador. Une goélette ayant à son bord vingt-sept passagers échoue sur un récif à quelques centaines de mètres de la côte. Sans hésiter un instant, le brave marin plonge dans les eaux glaciales à vingt-sept reprises pour ramener sur son dos les passagers en péril.

| Specifications | | Données techniques | |
|---|---|---|---|
| Denomination: | 4 x 42¢ (se tenant) | Valeur: | 4 x 0,42 $ (se tenant) |
| Date of Issue: | 8 September 1992 | Date d'émission: | 8 septembre 1992 |
| Design: | Ralph Tibbles | Conception: | Ralph Tibbles |
| Illustration: | Allan Cormack, Deborah Drew-Brook Cormack | Illustration: | Allan Cormack, Deborah Drew-Brook Cormack |
| Printer: | Ashton-Potter Limited | Imprimeur: | Ashton-Potter Limited |
| Quantity: | 20,000,000 | Tirage: | 20 000 000 |
| Dimensions: | 30 mm x 40 mm (vertical) | Format: | 30 mm sur 40 mm (vertical) |
| Printing Process: | Lithography in five colours | Procédé d'impression: | lithographie en cinq couleurs |
| Pane Layout: | 50 stamps | Présentation: | 50 timbres |

Some say that if it weren't for Laura Secord, the War of 1812 might have been won by the Americans. Her involvement began when she overheard some American soldiers planning a surprise attack on a British outpost in the Niagara Peninsula. A devoted patriot, Laura walked some 30 kilometres through the wilderness to warn Lieutenant James FitzGibbon and his 50 men. As a result, it was the American troops who were surprised, and all 462 of them surrendered.

The North-West Mounted Police owe their success in taming the Wild West to Jerry Potts, a Métis who served as their guide and interpreter for 22 years (1874-1896). He started by leading Col. James Macleod and his men to the notorious whiskey trading post, Fort Whoop-Up, and found an ideal site for their western outpost, now Fort Macleod, Alberta. With his knowledge of the languages and customs of the Blackfoot, he was also an invaluable mediator and peacemaker.

These four unsung heroes are the subjects of the third in a series of stamps commemorating Canadian folklore. Once again they were designed by Ralph Tibbles and illustrated by Allan Cormack and Deborah Drew-Brook Cormack, all of Toronto.

Certains disent que sans le courage de Laura Secord, la guerre de 1812 aurait peut-être été gagnée par les Américains. C'est au cours d'une conversation saisie à la dérobée que l'héroïne apprend que les Américains ont l'intention de surprendre les Britanniques dans la péninsule du Niagara. Patriote au plus profond de l'âme, elle parcourt une trentaine de kilomètres en forêt pour avertir le lieutenant James FitzGibbon et ses cinquante soldats. C'est ainsi que les quatre cent soixante-deux Américains ont dû se rendre.

La Police à cheval du Nord-Ouest a une grande dette de reconnaissance à l'égard du Métis Jerry Potts qui a servi de guide et d'interprète dans l'Ouest, de 1874 à 1896. Dès 1874, il mène le colonel James Macleod et ses hommes au célèbre fort Whoop-Up, poste de traite du whisky. Il doit ensuite trouver un bon endroit où établir un avant-poste, maintenant fort Macleod, en Alberta. Sa connaissance des langues et des coutumes des Pieds-Noirs en font un médiateur et un artisan de la paix inestimable.

Ces quatre héros méconnus forment le sujet du troisième jeu de la série consacrée au folklore canadien. Les timbres sont l'œuvre du graphiste Ralph Tibbles et des dessinateurs Allan Cormack et Deborah Drew-Brook Cormack, tous de Toronto.

## Minerals: Riches of the Earth

Canada's vast stores of mineral deposits cover nearly 10 million square kilometres and embrace six distinct geological regions. A priceless resource, minerals are not only the substances of which rocks consist, they are the building blocks of countless manufactured products – from necklaces to locomotives.

A mineral is defined as a naturally occurring inorganic (nonliving) substance of definite chemical composition. Of course, there are exceptions: diamonds and graphite, for example, are both composed of carbon, which is an organic material. Most minerals are chemical compounds, but some, such as gold, consist of only one element.

Minerals are generally formed as a result of the cooling of molten rock, liquids or gases. First, heat and pressure cause the molecular structure to break down; then, on cooling, the atoms "regroup" in a precise order to form crystals. The geometric shapes of these crystals therefore reflect the atomic structure within them.

## Des richesses enfouies

Réparties dans six régions géographiques distinctes, les vastes réserves de dépôts minéraux du Canada couvrent un territoire de près de dix millions de kilomètres carrés. Ressources inestimables, les minéraux ne constituent pas seulement la substance des roches : ciselés pour devenir des bijoux ou utilisés dans le montage des locomotives, ils entrent dans la composition d'innombrables produits fabriqués.

Substance inorganique, les minéraux sont des éléments chimiques naturels, sauf pour le diamant et le graphite qui sont tous les deux composés de carbone, une substance organique. Réunissant pour la plupart plusieurs éléments chimiques, certains, comme l'or, sont constitués d'un seul élément.

De façon générale, les minéraux s'accumulent lorsque la roche fondue, des solutions ou des gaz se refroidissent. La chaleur et une pression appropriées permettent aux molécules de se diviser et de se regrouper selon un ordre précis, au moment du refroidissement, pour former des cristaux dont les formes géométriques sont révélatrices de la structure interne.

DAY OF ISSUE · JOUR D'ÉMISSION
WHITEHORSE, YT, CANADA
92-09-21

The form taken by the crystals is one of several physical properties commonly used to identify a mineral. These include hardness, which is measured on a scale of 1 (talc) to 10 (diamond); density or specific gravity; colour, which may vary considerably due to impurities; streak (the colour produced by rubbing the mineral against unglazed porcelain); lustre; and cleavage (the way a mineral splits along smooth flat planes).

Pour identifier un minéral, on peut examiner la forme de ses cristaux. D'autres propriétés se rapportent à son apparence. Ainsi, en attribuant un coefficient classé en ordre croissant, on détermine la dureté : un pour le talc, dix pour le diamant. On peut également calculer la densité et examiner la coloration, qui peut varier considérablement en raison des impuretés. Par la couleur que laisse le minéral lorsqu'on le frotte sur une plaque

 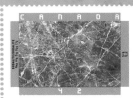 

*Specifications*

| | |
|---|---|
| *Denomination:* | 5 x 42¢ (se tenant, stamp booklet) |
| *Date of Issue:* | 21 September 1992 |
| *Design:* | Raymond Bellemare |
| *Photography:* | Hans Blohm |
| *Printer:* | Ashton-Potter Limited |
| *Quantity:* | 15,000,000 |
| *Dimensions:* | 40 mm x 30 mm (horizontal) |
| *Printing Process:* | Lithography in ten colours |
| *Pane Layout:* | 10 stamps |

*Données techniques*

| | |
|---|---|
| *Valeur :* | 5 x 0,42 $ (se tenant, carnet de timbres) |
| *Date d'émission :* | 21 septembre 1992 |
| *Conception :* | Raymond Bellemare |
| *Photographie :* | Hans Blohm |
| *Imprimeur :* | Ashton-Potter Limited |
| *Tirage :* | 15 000 000 |
| *Format :* | 40 mm sur 30 mm (horizontal) |
| *Procédé d'impression :* | lithographie en dix couleurs |
| *Présentation :* | 10 timbres |

In honour of the 150th anniversary of the Geological Survey of Canada, five minerals have been chosen to adorn this set of commemoratives.

Highly valued since ancient times, gold is characterized by its great malleability and high density. This specimen comes from Hunker Creek in the Yukon. Copper has been used to make tools for centuries and is widely used today in the electrical industry. This piece of native copper was found in the Kamloops area. Galena is the most important source of lead and often contains silver as well. This sample is from the Polaris mine on Little Cornwallis Island in the Northwest Territories. Grossular, a species of garnet, comes in a wide range of colours and may be cut into beautiful gems. This hessonite variety comes from the Jeffrey mine in Asbestos, Quebec. Bancroft, Ontario, is world-famous for its massive deposits of sodalite, long used as an ornamental stone.

de porcelaine poreuse, on peut observer la rayure. La réflexion de la lumière sur la surface fait ressortir l'éclat, et le clivage se dit de la séparation uniforme et plate des plans.

À l'occasion du cent cinquantième anniversaire de la Commission géologique du Canada, cinq minéraux ont été choisis pour illustrer un jeu de timbres.

Hautement prisé depuis l'Antiquité, l'or se caractérise par sa grande malléabilité et sa haute densité. Le spécimen provient de Hunker Creek au Yukon. Utilisé depuis des siècles dans la fabrication d'outils, le cuivre joue un rôle important dans le domaine de l'électricité. Ce spécimen provient de la région de Kamloops. Source la plus importante de plomb, la galène contient souvent de l'argent. Ce spécimen a été extrait de la mine Polaris dans les Territoires du Nord-Ouest. De la famille des grenats, le grossulaire se caractérise par sa diversité de couleurs et il est souvent ouvré en magnifiques bijoux. Cette variété essonite provient de la mine Jeffrey, à Asbestos, au Québec. La sodalite sert de pierre ornementale, et le spécimen présenté provient de Bancroft, en Ontario.

## Canada in the Space Age

In the realm of space research and technology, Canada has always been a world leader. Back in 1962, Canada was only the third country in the world to design and build its own satellite – the research satellite *Alouette 1*. The next major milestone came 10 years later; with the launching of *Anik A1*, Canada became the first country to have its own commercial satellite communications system. Over the years, *Anik A1* was replaced by a series of improved satellites. By 1991, the $300-million *Anik E2* was transmitting radio and television signals to every part of Canada, including the Far North.

Canada has also long excelled at remote-sensing technology. Scientists have developed the means to process and analyze data received by satellites and to convert those data into useful photographs and valuable information about our natural resources.

## Le Canada à l'ère spatiale

En matière de recherche et de technologie spatiales, le Canada a toujours été un chef de file. En 1962, il était déjà le troisième pays au monde à concevoir et à fabriquer son propre satellite d'exploration, *Alouette 1*. Dix ans plus tard, avec le lancement d'*Anik A1*, le Canada a été le premier pays à posséder son système de communications par satellite à usage commercial. Au fil des ans, des percées technologiques ont permis de remplacer *Anik A1*. Depuis 1991, toutes les régions du Canada, y compris le Grand Nord, reçoivent les signaux de radiodiffusion et de télévision transmis par *Anik E2*, dont le coût s'élève à trois cents millions de dollars.

Depuis longtemps, le Canada excelle également dans le domaine de la télédétection. Les scientifiques ont conçu des procédés qui permettent non seulement de traiter et d'analyser les données transmises par satellite, mais aussi d'en tirer des images utiles ainsi que des renseignements précieux sur nos ressources naturelles.

Le Système de télémanipulation, également appelé *Canadarm*, constitue la contribution canadienne la mieux connue à l'exploration de l'espace. Utilisé pour la première fois en 1981, sur la navette spatiale de la NASA, le bras peut effectuer des manipulations délicates, voire saisir des satellites. La dernière percée canadienne en matière de robotique spatiale consiste en la création d'un système très puissant, le Système de maintenance mobile, soit l'ensemble des instruments de préhension de la station spatiale.

Canada's best-known technological contribution to space travel is the Remote Manipulator System, or Canadarm. First used aboard NASA's Space Shuttle in 1981, the arm is able to manipulate objects such as satellites with great dexterity. Canada's latest development in space robotics is the much more powerful Mobile Servicing System – the arms and hands of the Space Station.

We have also contributed astronauts to Space Shuttle missions. In 1983, six Canadians were chosen from 4,300 applicants to conduct experiments in the laboratory of space. After rigorous training, Marc Garneau was the first Canadian to fly on the Space Shuttle; earlier this year, Roberta Bondar became the second, and the third, Steve MacLean, is scheduled to go up in the fall of 1992. Bondar's flight was the first International Microgravity Laboratory mission, designed to test the effects of microgravity (i.e., near-weightlessness) on human

Les astronautes du Canada ont participé à plusieurs missions de la navette spatiale. En 1983, six Canadiens ont été choisis parmi plus de quatre mille candidats pour mener des expériences dans le laboratoire spatial. Fort d'un entraînement rigoureux, Marc Garneau a été le premier Canadien à voyager à bord de la navette spatiale. Au début de 1992, ce fut au tour de Roberta Bondar, et un troisième Canadien, Steve MacLean, participera à la mission prévue pour l'automne 1992. Bondar a pris part à la première expédition du Laboratoire international de microgravité, dont le but était de mesurer les effets de la microgravité (c'est-à-dire la quasi-apesanteur) sur les êtres humains et sur certains matériaux. Les expériences ont été menées pour le compte de deux cents savants de treize pays, un témoignage à la coopération internationale qui est au cœur du programme spatial.

| Specifications | | Données techniques | |
|---|---|---|---|
| Denomination: | 2 x 42¢ (se tenant) | Valeur : | 2 x 0,42 $ (se tenant) |
| Date of Issue: | 1 October 1992 | Date d'émission : | 1er octobre 1992 |
| Design: | Debbie Adams | Conception : | Debbie Adams |
| Photography: | Canada Centre for Remote Sensing, Imtek Imagineering | Photographie : | Centre canadien de télédétection, Imtek Imagineering |
| Printer: | Canadian Bank Note Co. Ltd. | Imprimeur : | Canadian Bank Note Co. Ltd. |
| Quantity: | 10,000,000 | Tirage : | 10 000 000 |
| Dimensions: | Satellite – 40 mm x 26 mm (horizontal) Space Shuttle – 32 mm x 26 mm (horizontal) | Format : | Satellite – 40 mm sur 26 mm (horizontal) Navette spatiale – 32 mm sur 26 mm (horizontal) |
| Printing Process: | Lithography in ten colours with hologram | Procédé d'impression : | lithographie en dix couleurs avec hologramme |
| Pane Layout: | 20 stamps | Présentation : | 20 timbres |

beings and certain materials. Experiments were conducted on behalf of 200 scientists from 13 countries – an indication of the international cooperation that lies at the heart of the Space Program.

Canada Post paid tribute to our Space Program with two commemorative stamps. The one on the left depicts symbols of Canada's expertise in telecommunications (*Anik E2*) and in remote sensing technology (an image of farmland around Quebec City). The stamp on the right represents the Canadian Astronaut Program: it features a hologram of the Space Shuttle and of Canada viewed from space; the electrocardiographic outline of a human heartbeat symbolizes the physiological experiments carried out by the astronauts. The stamps' dynamic designs are the work of Debbie Adams of Toronto.

La Société canadienne des postes a émis deux timbres commémoratifs pour rendre hommage au Programme spatial canadien. La vignette de gauche souligne le savoir-faire canadien dans les domaines des télécommunications (*Anik E2*) et de la technologie de la télédétection (l'image de terres agricoles des environs de Québec). Le timbre de droite est consacré au Programme des astronautes canadiens : il s'agit d'un hologramme de la navette spatiale et du Canada vu du cosmos. Le tracé électrocardiographique humain symbolise les expériences physiologiques réalisées par les astronautes. La Torontoise Debbie Adams a signé les motifs très enlevés de ces deux timbres.

## The National Hockey League:
## 75 Years on Ice

## La Ligue nationale de hockey
## fête ses 75 ans

The debut of the National Hockey League in Montréal in 1917 was far from auspicious. And yet, despite financial difficulties, player shortages caused by the First World War, and the razing of the Montréal arena by fire, the newly formed league managed to launch its first season as planned. The NHL began with five charter members: the Ottawa Senators, the Toronto Arenas, the Quebec Bulldogs and two teams from Montréal – the Canadiens and the Wanderers. A year later, there were only three.

For the first 25 years, the NHL was in a constant state of flux. In 1924, an American team – the Boston Bruins – joined the league. Then, thanks to improved artificial ice and larger arenas, there was an unprecedented growth spurt. By 1926, the NHL consisted of 10 teams split into two divisions, one Canadian and one American – though most of the players were Canadian. It was also in that year that the Stanley Cup, which had originated in 1892, became the exclusive property of the NHL.

À ses débuts, la Ligue nationale de hockey, fondée à Montréal en 1917, semble avoir un avenir peu prometteur. Pourtant, malgré les difficultés financières, la pénurie de joueurs occasionnée par la Première Guerre mondiale et la destruction totale de l'aréna de Montréal par un incendie, les *Senators* d'Ottawa, les *Arenas* de Toronto, les *Bulldogs* de Québec, les Canadiens et les *Wanderers* de Montréal réussissent à disputer toutes les parties de leur première saison. Toutefois, seules trois de ces équipes fondatrices seront au rendez-vous l'année suivante.

Durant les vingt-cinq premières années, la LNH connaît maintes tribulations. En 1924, les *Bruins* de Boston deviennent la première équipe américaine à rallier la Ligue. Grâce à l'amélioration de la glace artificielle et à la construction de centres sportifs pouvant accueillir de grandes foules, la Ligue prend un essor sans précédent. En 1926, la LNH regroupe dix équipes réparties en deux divisions, une canadienne et une américaine, bien que la majorité des joueurs soient originaires du Canada. Cette même année, la coupe Stanley, qui avait été instituée en 1892, devient la propriété exclusive de la LNH.

As time went on, rules, schedules and equipment changed, and the popularity of hockey grew steadily. Although the number of clubs dwindled to six during the Second World War and some 90 NHL players joined the military, the games continued. In fact, the Canadian and U.S. governments had jointly "decreed the game essential to national morale."

The same six teams – the Montréal Canadiens, Toronto Maple Leafs, Boston Bruins, New York Rangers, Detroit Red Wings and Chicago Black Hawks – thrilled millions of fans over the next 25 years. Then, in 1967, six new teams joined the league. Ever since, expansion has been the hallmark of the NHL. Not only has the number of clubs mushroomed to 24 (as of the 1992-93 season), the teams themselves have become much more international in character by signing more European players.

With all the changes in the NHL over the last 75 years, two things have remained constant: the loyalty of the fans and the quality of the players. Whether they be a Howie Morenz, Wayne Gretzky, Eddie Shore, Bobby Orr,

Au fil des ans, les règles du jeu, le calendrier de la saison et l'équipement évoluent, et le hockey jouit d'une popularité grandissante. Pendant la Seconde Guerre mondiale, bien que le nombre d'équipes tombe à six et que près de cent joueurs sont sous les drapeaux, les saisons se déroulent sans interruption. D'ailleurs, dans une déclaration conjointe, les gouvernements du Canada et des États-Unis décrètent que les matchs de hockey sont essentiels au bon moral de la nation.

Les exploits des six équipes de la Ligue, soit les Canadiens de Montréal, les *Maple Leafs* de Toronto, les *Bruins* de Boston, les *Rangers* de New York, les *Red Wings* de Détroit et les *Black Hawks* de Chicago, alimentent l'enthousiasme de millions de partisans durant vingt-cinq années. En 1967, six nouvelles équipes viennent grossir la Ligue qui, depuis lors, n'a cessé de grandir. Les équipes se sont multipliées (vingt-quatre formations s'affronteront pendant la saison 1992-1993), et le recrutement d'un nombre croissant de joueurs européens confère à la Ligue un cachet international.

| Specifications | | Données techniques | |
|---|---|---|---|
| Denomination: | 3 x 42¢ (prestige booklet) | Valeur : | 3 x 0,42 $ (livret de prestige) |
| Date of Issue: | 9 October 1992 | Date d'émission : | 9 octobre 1992 |
| Design: | Les Holloway, Richard Kerr | Conception : | Les Holloway, Richard Kerr |
| Printer: | Ashton-Potter Limited | Imprimeur : | Ashton-Potter Limited |
| Quantity: | 25,000,000 | Tirage : | 25 000 000 |
| Dimensions: | 39.5 mm x 32 mm (horizontal) | Format : | 39,5 mm sur 32 mm (horizontal) |
| Printing Process: | Lithography in five colours | Procédé d'impression : | lithographie en cinq couleurs |
| Pane Layout: | 2 of 8 stamps and 1 of 9 stamps | Présentation des feuillets : | 2 de 8 timbres et 1 de 9 timbres |

Aurèle Joliat or Maurice Richard, NHL players have given hockey fans plenty to cheer about.

Three stamps were issued by Canada Post this year to celebrate the 75th anniversary of the NHL. Designed by Les Holloway and Richard Kerr of DesignSource in Toronto, they display a collection of objects and photographs typical of each era in NHL history.

Malgré l'évolution constante de la LNH au cours des soixante-quinze dernières années, deux éléments demeurent inchangés : la loyauté des partisans et la qualité des joueurs. À n'en pas douter, les Howie Morenz, les Jacques Plante, les Wayne Gretzky, les Eddie Shore et les Mario Lemieux qui évoluent au sein de la Ligue méritent l'admiration que leur témoignent les amateurs de hockey.

Cette année, la Société canadienne des postes a émis trois timbres pour célébrer le soixante-quinzième anniversaire de la LNH. Conçus par Les Holloway et Richard Kerr de la maison torontoise *DesignSource*, les motifs des vignettes rassemblent divers objets et photographies qui évoquent bien les trois périodes de l'histoire de la LNH.

### Roland Michener and the Order of Canada: A Winning Combination

When Roland Michener was appointed Governor General in 1967, he brought to his new post the same enthusiastic spirit that pervaded Canada that year. Amid Centennial festivities, Michener plunged into his duties with the same vigour he applied to his daily exercise routine; he was a man who celebrated not only this country, but life itself – right up until he died last year at 91.

Michener already had a long career of public service by the time of his appointment. The son of a politician, he left the law practice he had co-founded in Toronto to enter politics in the 1940s, first as a member of the Ontario legislature and then as a federal M.P. But Michener was less partisan in his politics than many, referring to himself as "a small 'l' liberal and a capital 'c' Conservative". In 1962, after serving as Speaker of the House of Commons for five years and losing his federal seat (which he had held for nine years), he was appointed High Commissioner to India by Prime Minister Pearson. Three years later, the sudden death of Georges Vanier left the office of Governor General vacant; Michener was hurriedly recalled to Canada to fill the post.

### Roland Michener et l'Ordre du Canada : l'effort pour le bien commun

Dès sa nomination au poste de gouverneur général en 1967, Roland Michener a insufflé à l'institution l'enthousiasme qui animait le Canada cette année-là. Au milieu des festivités du centenaire de la Confédération, Michener a embrassé ses nouvelles fonctions avec la même énergie qu'il déployait dans son entraînement quotidien. Michener était un homme qui exaltait non seulement son pays, mais encore la vie, et ce jusqu'à sa mort l'an dernier à l'âge de quatre-vingt-onze ans.

Au moment de sa nomination, Michener avait déjà à son actif une longue carrière publique. Dans les années 1940, ce fils de politicien quitta le cabinet juridique torontois dont il était le cofondateur pour se lancer en politique. Il fut d'abord député à l'Assemblée législative de l'Ontario, puis député fédéral. Michener faisait preuve de bien moins de sectarisme politique que bon nombre de ses homologues. Lui-même se qualifiait de conservateur mâtiné de libéral.

Michener, qui siège au Parlement à titre de député pendant neuf ans, cumule également la fonction de président de la Chambre des communes durant cinq ans. Après sa défaite aux élections de 1962, il est nommé haut-commissaire du Canada en Inde par le premier ministre Pearson. Trois ans plus tard, lorsque le décès subit de Georges Vanier laisse la charge de gouverneur général sans titulaire, l'on rappelle Michener en toute hâte pour l'en investir.

In seven years, Michener and his wife Norah did much to humanize the position of Queen's representative. They relaxed many traditional formalities and travelled extensively to meet people – some 400,000 kilometres on 203 tours.

Of the many awards and honours he received during his distinguished career, Michener considered the Order of Canada – of which he was the first recipient – the most precious. The Order of Canada was established on 1 July 1967 to pay tribute to Canadians for exemplary service and achievement in a wide range of fields. Since the Order is truly a society of merit, rather than of the élite, any deserving Canadian may be nominated by any member of the public. Candidates are appointed twice a year by the Governor General at one of three levels of membership. All members, however, share the same aspirations and exemplify in their lives and work the award's Latin motto: "They desire a better country."

Canada Post paid tribute to both Roland Michener and the Order of Canada with these two stamps designed by Tania Craan of Toronto. The stamps were issued in a unique sheet format, with nine Michener stamps in the centre, framed by 16 Order of Canada stamps around the outside.

En sept ans, Michener et son épouse Norah humanisent grandement le poste de représentant de la Couronne au Canada. Ils assouplissent certaines des règles protocolaires traditionnelles. Le couple voyage énormément : au cours de leurs deux cent trois voyages officiels, ils parcourent plus de quatre cent mille kilomètres.

Parmi les nombreuses distinctions honorifiques qui lui furent conférées tout au long de sa remarquable carrière, Michener affectionnait l'Ordre du Canada, dont il fut le premier récipiendaire. Cette distinction honorifique a été créée le 1er juillet 1967 pour reconnaître les Canadiens qui s'illustrent dans les domaines les plus variés. Toute personne peut proposer la candidature d'une Canadienne ou d'un Canadien, car il ne s'agit pas d'un cercle réservé à une élite, mais bien d'une fraternité. Deux fois l'an, le gouverneur général procède aux nominations aux trois niveaux de décoration. Tous les membres partagent les mêmes idéaux et appliquent dans leur vie et dans leur travail la devise latine de l'Ordre : *Desiderantes meliorem patriam* (Ils aspirent à une patrie meilleure).

Par ces deux timbres conçus par Tania Craan, de Toronto, la Société canadienne des postes rend hommage à Roland Michener et à l'Ordre du Canada. Le feuillet de format

Specifications

| | |
|---|---|
| Denomination: | 2 x 42¢ (se tenant) |
| Date of Issue: | 21 October 1992 |
| Design: | Tania Craan |
| Photography: | Cavouk, Michael Kohn |
| Printer: | Ashton-Potter Limited |
| Quantity: | 15,000,000 |
| Dimensions: | 30 mm x 36.5 mm (vertical) |
| Printing Process: | Lithography in seven colours |
| Pane Layout: | 25 stamps |

Données techniques

| | |
|---|---|
| Valeur : | 2 x 0,42 $ (se tenant) |
| Date d'émission : | 21 octobre 1992 |
| Conception : | Tania Craan |
| Photographie : | Cavouk, Michael Kohn |
| Imprimeur : | Ashton-Potter Limited |
| Tirage : | 15 000 000 |
| Format : | 30 mm sur 36,5 mm (vertical) |
| Procédé d'impression : | lithographie en sept couleurs |
| Présentation : | 25 timbres |

réduit est composé de neuf vignettes à l'effigie de Michener encadrées par seize timbres illustrant la médaille de l'Ordre du Canada.

### The Second World War:
### Dark Days Indeed

On both the home front and the battlefront, 1942 was the bleakest year of the war for Canadians.

"The bloodiest nine hours in Canadian military history" were fought in the infamous raid on Dieppe. The plan to invade the French port was initially welcomed by the troops of the 2nd Canadian Infantry Division, who had been training interminably in England. Confronted with impenetrable German defences, however, about 3,500 of the 5,000 Canadians involved were killed, wounded or taken prisoner – "the price the Allies paid to learn how *not* to invade Europe."

On this side of the Atlantic, Canadians no longer felt at a safe distance from warfare. German U-boats began to torpedo and sink merchant ships off the east coast and in the St. Lawrence. To adequately defend these waters, however, the Navy would have had to recall ships indispensable in the Battle of the Atlantic.

### La Seconde Guerre mondiale :
### les temps sont sombres

Les Canadiens se souviendront de 1942 comme ayant été la plus sombre des années de guerre, tant au pays qu'au front.

Ce fut l'année de la bataille la plus funeste : le raid sur Dieppe, certes les neuf heures les plus sanglantes de l'histoire militaire du Canada. Initialement, les troupes de la Deuxième division canadienne d'infanterie qui s'entraînaient interminablement en Angleterre accueillirent favorablement le plan de débarquement visant à reconquérir le port français. Malheureusement, les cinq mille Canadiens qui participèrent à l'opération se heurtèrent à des défenses allemandes impénétrables : environ trois mille cinq cents soldats furent tués, blessés ou capturés. Les Alliés payèrent chèrement pour apprendre ce qu'il *fallait éviter* pour réussir un débarquement en Europe.

De ce côté-ci de l'Atlantique, les Canadiens ne se sentaient plus à bonne distance du véritable champ de bataille. Les sous-marins allemands entreprirent de torpiller et de couler les navires de commerce au large de la côte et dans le golfe du Saint-Laurent. Pour défendre adéquatement le Saint-Laurent, il aurait fallu rappeler des vaisseaux devenus indispensables à la bataille de l'Atlantique.

Geographically, Newfoundland (which was still a British colony) occupied a highly strategic position as the war at sea raged on. Major air and naval bases for Allied forces were established at various locations on the island. The Newfoundlanders themselves served the cause in any way they could. Many opened their doors to visiting servicemen, while some 10,000 others fought overseas in British or Canadian forces.

Probably one of the most important and yet unrecognized war efforts provided by Canadians was in the field of communications. In homes across Canada, millions depended on radio broadcasts, newspaper articles and the like to keep abreast of war-related events. Most war correspondents, photographers and artists in fact risked their lives to provide first-hand information from the battlefront.

This set of four stamps pays tribute to Canadians who made valuable contributions in a variety of ways. Fourth in a series commemorating the 50th anniversary of the Second World War, the stamps' finely executed design is the work of Pierre-Yves Pelletier and Jean-Pierre Armanville of Montréal.

Terre-Neuve, qui à l'époque était une colonie britannique, occupait une situation géographique hautement stratégique tandis que la guerre sur mer faisait rage. D'importantes bases aériennes et navales des forces armées alliées furent établies dans plusieurs parties de l'île. Des Terre-Neuviens servirent la cause en logeant des militaires de passage, tandis que d'autres – environ dix mille – combattaient outre-mer dans les forces armées britanniques ou canadiennes.

L'un des aspects les plus importants mais méconnu de l'effort de guerre fourni par le Canada fut dans le domaine des communications. Des millions de foyers dépendaient des bulletins radiodiffusés, des articles de journaux et d'autres moyens d'information pour suivre l'évolution des hostilités. Artistes officiels de l'armée, photographes et correspondants de guerre risquèrent leur vie pour fournir une information de première main.

Ces quatre vignettes rendent hommage à tous les Canadiens qui, de maintes façons, ont grandement contribué à la victoire des Alliés. Pierre-Yves Pelletier et Jean-Pierre Armanville ont signé les motifs minitieux de ce quatrième jeu de la série soulignant le cinquantième anniversaire de la Seconde Guerre mondiale.

*Specifications*

| | |
|---|---|
| *Denomination:* | 4 x 42¢ (se tenant) |
| *Date of Issue:* | 10 November 1992 |
| *Design:* | Pierre-Yves Pelletier |
| *Illustration:* | Jean-Pierre Armanville |
| *Printer:* | Canadian Bank Note Co. Ltd. |
| *Quantity:* | 10,000,000 |
| *Dimensions:* | 48 mm x 30 mm (horizontal) |
| *Printing Process:* | Lithography in five colours |
| *Pane Layout:* | 16 stamps |

*Données techniques*

| | |
|---|---|
| *Valeur:* | 4 x 0,42 $ (se tenant) |
| *Date d'émission:* | 10 novembre 1992 |
| *Conception:* | Pierre-Yves Pelletier |
| *Illustration:* | Jean-Pierre Armanville |
| *Imprimeur:* | Canadian Bank Note Co. Ltd. |
| *Tirage:* | 10 000 000 |
| *Format:* | 48 mm sur 30 mm (horizontal) |
| *Procédé d'impression:* | lithographie en cinq couleurs |
| *Présentation:* | 16 timbres |

## Christmas: The Many Guises of Santa Claus

## Les nombreux visages du père Noël

DAY OF ISSUE · JOUR D'ÉMISSION · 92-11-13 · OTTAWA, ON, CANADA ·

The custom of giving presents at mid-winter dates back to pagan times. But the world-famous bearer of Christmas gifts for children – Santa Claus – originated with St. Nicholas, a generous 4th-century bishop from Asia Minor. Since then, various versions of the original saint have sprung up in countries all over the world.

Germany adopted the legacy of St. Nicholas centuries ago. *Sankt Nikolaus*, as he was called, still distributes nuts and sweets on the eve of St. Nicholas Day, 6 December. Dressed like a bishop, he is often accompanied by a fearsome servant, *Knecht Ruprecht* or Black Peter, who carries a big switch for punishing naughty children. In the 19th century, a secular version of *Sankt Nikolaus* developed – *Weihnachtsmann*, or Father Christmas. The kindly bearded old man travels alone on foot on Christmas Eve with a small Christmas tree in hand.

L'échange de cadeaux aux Fêtes tire son origine dans les traditions païennes. La légende du père Noël, ce célèbre porteur de présents, s'inspire de la vie de saint Nicolas, un évêque connu pour sa générosité qui a vécu en Asie mineure au IVe siècle. Aujourd'hui, de nombreuses légendes de la vie de saint Nicolas ont cours dans les différentes régions du globe.

L'Allemagne a adopté la légende de saint Nicolas il y a des siècles. Encore aujourd'hui, *Sankt Nikolaus* distribue noix et sucreries la veille de la fête qui lui est consacrée et qu'on célèbre le 6 décembre. En tenue épiscopale, il s'adjoint souvent d'un terrible serviteur, *Knetcht Ruprecht*, ou Pierre Noir, qui menace de son fouet les vilains enfants. Au cours du XIXe siècle, une autre version de *Sankt Nikolaus* s'est instaurée, celle de *Weihnachtsmann*, le père Noël. La veille de Noël, ce sympathique vieillard barbu se promène seul, à pied, un petit arbre de Noël en main.

Estonia imported Father Christmas from Germany at the turn of the century and

À l'aube du XXᵉ siècle, l'Estonie emprunta à l'Allemagne la légende du père Noël qu'elle

| Specifications | | Données techniques | |
|---|---|---|---|
| Denomination: | 37¢, 42¢, 48¢, 84¢ | Valeur: | 0,37 $, 0,42 $, 0,48 $, 0,84 $ |
| Date of Issue: | 13 November 1992 | Date d'émission: | 13 novembre 1992 |
| Design: | Louis Fishauf, Stephanie Power | Conception: | Louis Fishauf, Stephanie Power |
| Illustration: | 37¢ – Ross MacDonald | Illustration: | 0,37 $ – Ross MacDonald |
| | 42¢ – Anita Kunz | | 0,42 $ – Anita Kunz |
| | 48¢ – Jamie Bennett | | 0,48 $ – Jamie Bennett |
| | 84¢ – Simon Ng | | 0,84 $ – Simon Ng |
| Printer: | Ashton-Potter Limited | Imprimeur: | Ashton-Potter Limited |
| Quantity: | 37¢ – 58,000,000 | Tirage: | 0,37 $ – 58 000 000 |
| | 42¢ – 70,000,000 | | 0,42 $ – 70 000 000 |
| | 48¢ – 11,000,000 | | 0,48 $ – 11 000 000 |
| | 84¢ – 11,000,000 | | 0,84 $ – 11 000 000 |
| Dimensions: | 37¢ – 40 mm x 26 mm (horizontal) | Format: | 0,37 $ – 40 mm sur 26 mm (horizontal) |
| | 42¢, 48¢, 84¢ – 30 mm x 36 mm (vertical) | | 0,42 $, 0,48 $, 0,84 $ – 30 mm sur 36 mm (vertical) |
| Printing Process: | Lithography in seven colours | Procédé d'impression: | lithographie en sept couleurs |
| Pane Layout: | 42¢, 48¢, 84¢ – 50 stamps (pane) | Présentation: | 0,42 $, 0,48 $, 0,84 $ – 50 timbres (feuilles) |
| | 37¢, 42¢ – 10 stamps (booklet) | | 0,37 $, 0,42 $ – 10 timbres (carnet) |
| | 48¢, 84¢ – 5 stamps (booklet) | | 0,48 $, 0,84 $ – 5 timbres (carnet) |

called him *Jōuluvana* or Old Man Yule. No one knew exactly when to expect him but he usually put in a personal appearance on Christmas Eve. To induce *Jōuluvana* to give them the best gifts, children recited poems, sang songs and played music for him.

The traditional bearer of gifts in Italy is called *la Befana*. Like the modern Italian version of Santa, *Babbo Natale*, *la Befana* is believed to travel by air and enter homes through the chimney to fill the stockings of well-behaved children. But there the similarity ends. *La Befana* is a benevolent old witch who rides a broom and visits homes on 6 January, Epiphany.

The North American version of Santa Claus is a relatively recent creation. Santa's image was largely the result of two 19th-century Americans' imaginations – poet Clement Clarke Moore and artist Thomas Nast. Moore's poem, "A Visit from St. Nicholas", and Nast's drawings based on the poem popularized the jolly benefactor.

Once again this year, the Christmas stamps feature Santa Claus in various ethnic guises. Designed by Louis Fishauf and Stephanie Power of Reactor Design in Toronto, the stamps are illustrated by four different artists – the German *Weihnachtsmann* by Simon Ng, the Estonian *Jōuluvana* by Anita Kunz, the Italian *la Befana* by Jamie Bennett and the North American Santa Claus by Ross MacDonald.

rebaptisa *Jōuluvana*, le vieil homme de Noël. Personne ne sait au juste quand il fait ses visites, mais il se présente la veille de Noël. Pour inciter *Jōuluvana* à leur donner les plus beaux cadeaux, les enfants y vont de poèmes, de chansons et de musique.

En Italie, c'est à *La Befana* qu'il revient de distribuer les présents. À l'instar de son successeur des temps modernes, la version italienne du père Noël, *Babbo Natale*, *La Befana* volerait. Elle entre dans les maisons en passant par la cheminée afin de remplir les bas des enfants sages. Ce sont là toutefois les seules similitudes : *La Befana* est une vieille sorcière qui enfourche un balai et qui fait son apparition le 6 janvier, à l'Épiphanie.

La version nord-américaine du père Noël est plutôt récente. On la doit à deux artistes en particulier : le poète Clement Clarke Moore et le peintre Thomas Nast. Le poème de Moore intitulé *A Visit from Santa* et les illustrations qu'en a fait Nast ont immortalisé ce joyeux personnage.

Cette année, les timbres émis à l'occasion des Fêtes mettent en vedette des personnages aux origines culturelles variées. Les motifs, conçus par Louis Fishauf et Stephanie Power de la maison torontoise *Reactor Design*, présentent des illustrations créées par quatre artistes : *Weihnachtsmann* est signé Simon Ng; *Jōuluvana*, Anita Kunz; *La Befana*, Jamie Bennett. Le père Noël nord-américain a été dessiné par Ross MacDonald.

### Queen Elizabeth II :
### 40 Years on the Throne

On 6 February 1952, Princess Elizabeth received news of the untimely death of her father, King George VI, while she was on tour in Kenya. The 25-year-old wife and mother of two returned home as Queen of Great Britain.

The young princess had not always been expected to ascend the throne. It was not until her uncle, Edward VIII, abdicated in 1936 that the kingdom went to her father. A son born during his 15-year reign would have replaced her in the line of succession.

Today, at the age of 66, Queen Elizabeth II has been carrying out the duties of reigning monarch for four decades. Despite the pressures of being on duty at all times, Her Majesty shows no signs of tiring. "I think continuity is very important," she has said. "It is a job for life."

### Élisabeth II, reine de la Grande-Bretagne depuis 40 ans

Le 6 février 1952, pendant un voyage au Kenya, la princesse Élisabeth apprend le décès prématuré de son père le roi George VI. Mariée et mère de deux enfants, la jeune princesse de vingt-cinq ans rentre en Grande-Bretagne pour y assumer ses nouvelles fonctions de souverain.

Élisabeth n'avait pas été pressentie pour accéder au trône. Ce n'est qu'à l'abdication de son oncle Édouard VIII, en 1936, que la couronne revint à son père. Si ce dernier avait eu un fils durant son règne de quinze ans, cet héritier aurait pris la place d'Élisabeth dans l'ordre de succession.

La Reine, qui a maintenant soixante-six ans, exerce le pouvoir royal depuis quatre décennies. Malgré le poids de ses fonctions, qui ne lui laissent aucun répit, Sa Majesté ne manifeste aucun signe de lassitude. «J'attache une très grande importance à la continuité, a-t-elle déclaré, c'est une fonction à vie.»

The Queen plays an important role in such ceremonies as Trooping the Colour and the Opening of Parliament, but her work involves more than mere pomp and pageantry. Since the start of her reign, Queen Elizabeth has hosted more than 60 state visits and entertained hundreds of members of the diplomatic corps. Every six months, some 1,000 individuals are honoured with orders of chivalry, many of which the Queen bestows personally at annual investiture ceremonies.

Le monarque joue un rôle de premier plan dans les cérémonies comme le salut au drapeau et l'ouverture de la session parlementaire. Depuis le début de son règne, la reine Élisabeth a accueilli plus de soixante chefs d'État et reçu des centaines de membres du corps diplomatique. Tous les six mois, des distinctions honorifiques sont conférées à quelque mille personnes.

*Specifications*

| | |
|---|---|
| Denomination: | 42¢ |
| Date of Issue: | 27 December 1991 |
| Design: | Tom Yakobina, Chris Candlish |
| Photography: | Yousuf Karsh |
| Printer: | Ashton-Potter Limited |
| Quantity: | Continuous printing |
| Dimensions: | 26 mm x 22 mm (horizontal) |
| Printing Process: | Lithography in five colours |
| Pane Layout: | 100 stamps (pane) |
| | 10 stamps (booklet) |

*Données techniques*

| | |
|---|---|
| Valeur : | 0,42 $ |
| Date d'émission : | 27 décembre 1991 |
| Conception : | Tom Yakobina, Chris Candlish |
| Photographie : | Yousuf Karsh |
| Imprimeur : | Ashton-Potter Limited |
| Tirage : | impression continue |
| Format : | 26 mm sur 22 mm (horizontal) |
| Procédé d'impression : | lithographie en cinq couleurs |
| Présentation : | 100 timbres (feuille) |
| | 10 timbres (carnet) |

Queen Elizabeth presides as Head of the Commonwealth over 50 independent nations. She is also Head of the Privy Council, and signs all Acts of Parliament. Every Tuesday, she holds a private audience with the Prime Minister of Britain – a tradition she has upheld since her first audience with Winston Churchill in 1952.

In addition to numerous state visits, the Queen makes about 30 day trips a year to "meet the people" in different parts of her kingdom. She receives an average of 200-300 letters from the public every day, and sends thousands of centenary birthday and diamond wedding anniversary messages to her subjects every year.

The design for this stamp is based on a striking photograph by Yousuf Karsh and has been in use since 30 December 1987. Designers Chris Candlish and Tom Yakobina chose a classic turquoise background for this year's issue.

Plus de cinquante nations indépendantes reconnaissent l'autorité de la reine Élisabeth en tant que chef du Commonwealth. Le Conseil privé rend compte à la Reine, laquelle signe aussi toutes les lois adoptées par le Parlement. Tous les mardis, elle accorde une audience privée au premier ministre de la Grande-Bretagne; c'est une tradition qu'elle perpétue depuis 1952, année de son premier entretien particulier avec Winston Churchill.

Outre les maintes visites d'État à l'étranger, la Reine effectue près de trente voyages de courte durée par an pour «rencontrer son peuple» dans les différentes régions du royaume. Elle reçoit chaque jour de deux cents à trois cents lettres du public et, chaque année, envoie des milliers de messages de félicitations à des centenaires et à des couples fêtant leurs noces de diamant.

Le motif de ce timbre-poste a été exécuté à partir d'un remarquable portrait réalisé par le photographe Yousuf Karsh. Pour le timbre courant de 1992, les graphistes Chris Candlish et Tom Yakobina ont choisi un arrière-plan turquoise pour agrémenter ce portrait qui est utilisé depuis l'émission du 30 décembre 1987.

## The Canadian Flag's Long History on Parliament Hill

Few sights can evoke such strong feelings of patriotism as the Canadian Flag waving high atop the spire of the Peace Tower on Parliament Hill. Framed against the sky, it is a symbol of our pride in the strength and independence of this nation.

The flag on the Peace Tower is the largest flown by the Canadian government. A full 2.28 metres in height and 4.57 metres in length, it is nearly twice the size of those found outside most government office buildings.

The tradition of flying a flag over the Parliament Buildings began in the 1870s when Prime Minister John A. Macdonald requested approval from England to fly the Red Ensign. When approval was denied, he raised the flag over Parliament under his own authority.

The original Red Ensign was assigned to British merchant ships in 1707 by Queen Anne. The Canadian version, which featured the Canadian crest in the lower right corner with a Union Jack in the upper left corner, was also for use on ships, but was flying unofficially all over the country by the turn of the 20th century.

## Longue vie au drapeau canadien sur la colline du Parlement!

Peu de spectacles suscitent un si fort sentiment patriotique que le drapeau du Canada ondoyant tout en haut du mât de la Tour de la Paix. Sur fond azuré, il symbolise la fierté que nous tirons de la force et de l'indépendance de notre pays.

Le drapeau hissé au haut de la Tour de la Paix est le plus grand drapeau déployé par le gouvernement canadien. D'une hauteur de 2,28 mètres sur 4,57 mètres de longueur, il fait presque le double des drapeaux qui flottent sur la plupart des immeubles fédéraux.

Le drapeau est apparu sur les édifices du Parlement au cours des années 1870. Le premier ministre John A. Macdonald avait demandé à l'Angleterre la permission de lever le *Red Ensign*. Ayant essuyé un refus, il ordonne le déploiement du drapeau au-dessus du Parlement.

En 1707, la reine Anne dote les navires marchands britanniques du *Red Ensign*. La version canadienne du drapeau, chargé de l'écu du Canada sur le battant et portant l'*Union Jack* en canton, pouvait également être hissée aux mâts des navires de la marine marchande; en fait, il sera déployé officieusement dans tout le pays dès le tournant du XX$^e$ siècle.

En 1904, la réapparition d'un sentiment favorable à l'Empire britannique entraîne la substitution de l'*Union Jack* au *Red Ensign* sur la colline du Parlement. En 1924, un décret entérine l'utilisation du *Red Ensign* comme drapeau officiel sur les édifices fédéraux du Canada à l'étranger, mais le drapeau britannique continue d'y flotter jusqu'en 1945, année où le *Red Ensign* retrouve sa préséance, du moins jusqu'à l'adoption d'un drapeau purement canadien.

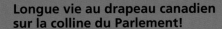

In 1904, a resurgence of imperial sentiment prompted the replacement of the Red Ensign on Parliament Hill with the Union Jack. Although in 1924 the Red Ensign was named Canada's official flag for use on federal government buildings outside Canada, the British flag continued to fly on such buildings in Canada until 1945. It was then replaced by the Red Ensign, which was to be flown only until such time as a uniquely Canadian flag was adopted.

Ce moment arrive vingt ans plus tard, en février 1965 : par une belle et froide journée d'hiver, dix mille personnes attendent que soit hissé au mât de la Tour de la Paix le nouveau drapeau rouge et blanc à feuille d'érable. Malgré sa préférence pour un motif formé de trois feuilles d'érable rouges et de vergettes bleues, le premier ministre Lester B. Pearson proclame fièrement que le drapeau constitue une nouvelle étape de la marche en avant du Canada.

| *Specifications* | | *Données techniques* | |
|---|---|---|---|
| *Denomination:* | Stamp – 42¢ | *Valeur :* | timbre – 0,42 $ |
| | Coil – 42¢ | | rouleau – 0,42 $ |
| | Quick Stick – 42¢ | | timbrexpress – 0,42 $ |
| *Date of Issue:* | Stamp – 27 December 1991 | *Date d'émission :* | timbre – 27 décembre 1991 |
| | Coil – 27 December 1991 | | rouleau – 27 décembre 1991 |
| | Quick Stick – 28 January 1992 | | timbrexpress – 28 janvier 1992 |
| *Design:* | Gottschalk + Ash International | *Conception :* | Gottschalk + Ash International |
| *Printer:* | Stamp – Ashton-Potter Limited | *Imprimeur :* | timbre – Ashton-Potter Limited |
| | Coil – Canadian Bank Note Co. Ltd. | | rouleau – Canadian Bank Note Co. Ltd. |
| | Quick Stick – Ashton-Potter Limited | | timbrexpress – Ashton-Potter Limited |
| *Quantity:* | Continuous printing | *Tirage :* | impression continue |
| *Dimensions:* | Stamp – 22 mm x 26 mm (vertical) | *Format :* | timbre – 22 mm sur 26 mm (vertical) |
| | Coil – 24 mm x 20 mm (horizontal) | | rouleau – 24 mm sur 20 mm (horizontal) |
| | Quick Stick – | | timbrexpress – |
| | 36 mm x 30 mm (horizontal) | | 36 mm sur 30 mm (horizontal) |
| *Printing Process:* | Stamp – Lithography in five colours | *Procédé d'impression :* | timbre – lithographie en cinq couleurs |
| | Coil – Steel engraving in one colour | | rouleau – gravure sur acier en une couleur |
| | Quick Stick – Lithography in five colours | | timbrexpress – lithographie en cinq couleurs |
| *Pane Layout:* | Stamp – 100 stamps (pane) | *Présentation :* | timbre – 100 timbres (feuille) |
| | 25 stamps (booklet) | | 25 timbres (carnet) |
| | 10 stamps (booklet) | | 10 timbres (carnet) |
| | Coil – 100 stamps | | rouleau – 100 timbres |
| | Quick Stick – 12 stamps (booklet) | | timbrexpress – 12 timbres (carnet) |

That time came 20 years later, in February 1965, when 10,000 people witnessed the raising of the new red and white maple leaf flag on the Peace Tower. Although he had pushed for a design featuring three red maple leaves framed by blue vertical bars, Prime Minister Lester B. Pearson proudly proclaimed the flag "a new stage in Canada's forward march."

This unique design by Gottschalk + Ash International of Toronto captures the motion of the flag on a windy day. Images of the flag have been superimposed against changing Canadian backdrops since the design was introduced several years ago. This year, the sheet stamp shows the flag against a background of forested hills at sunset, and the Quick Stick stamp depicts the flag against a mountainous background.

Le motif unique de ces timbres courants, conçu par la maison torontoise *Gottschalk + Ash International*, saisit le mouvement du drapeau qui flotte au vent, se détachant sur de nouveaux paysages canadiens à l'arrière-plan, les anciennes illustrations datant de plusieurs années. Le timbre émis en feuillets a pour toile de fond des collines boisées, au crépuscule, et le timbrexpress présente le drapeau sur un arrière-plan montagneux.

## From Soup to Nuts

With such a harsh climate, Canada is certainly not the place to grow papayas or grapefruit. However, between native species and hardy cultivated varieties, a surprisingly large number of fruit trees – and their bounty – can be found from coast to coast.

Of all the fruit grown in Canada, none occupies a more exalted position than the apple. And of the scores of apple varieties available, the McIntosh is unquestionably the most popular, numbering over three million trees in North America. The world-famous McIntosh originated by sheer chance in 1811 in Dundela, Ontario. It all began when a farmer named John McIntosh discovered several young apple trees while clearing his land and transplanted them in his garden. Only one tree survived, but it produced apples of such extraordinary quality that it became famous in the area. McIntosh attempted unsuccessfully to reproduce it from seed. But 25 years later, his son Allan learned to clone the tree by means of grafting, thereby launching a thriving business for both his family and generations of apple growers after him.

## Les arbres fruitiers

Certes, le rude climat canadien n'est point propice à la culture des papayes ou des pamplemousses. Pourtant, grâce aux diverses espèces indigènes et variétés rustiques, un nombre étonnamment élevé d'arbres fruitiers productifs sont cultivés au Canada, d'un océan à l'autre.

Parmi tous les fruits cultivés au pays, la pomme est sans rivale. Des nombreuses variétés de pommes sur le marché, la McIntosh est indiscutablement la préférée : plus de trois millions de pommiers croissent en Amérique du Nord. Appréciée dans le monde entier, la McIntosh doit sa destinée à un pur hasard. En 1811, à Dundela, en Ontario, le fermier John McIntosh défriche sa terre lorsqu'il découvre plusieurs jeunes pommiers qu'il décide de transplanter dans son jardin. Le seul arbuste qui en réchappe devient célèbre dans la région pour l'extraordinaire qualité de ses fruits. McIntosh tente en vain de planter des pépins de ces superbes pommes afin d'obtenir d'autres pommiers. Ce n'est que vingt-cinq ans plus tard, grâce à la multiplication par greffage, que son fils Allan met sur pied un commerce florissant, tant pour sa famille que pour les générations de pomiculteurs qui lui succéderont.

By contrast, black walnut trees are a relatively rare occurrence in Canada today. One of two native species of walnut (butternut being the other), black walnuts grow wild only in the warmest parts of southern Ontario. However, they and other species, such as Japanese walnut, are often planted as ornamentals outside their natural range. The nut produced by the black walnut is a delicacy, comparable to the familiar English walnut, which is commercially grown in warmer climes. What's more, the strong, dark wood of walnut trees is one of the most prized hardwoods among cabinet-makers.

Although there are two native species of plums in Canada, hardy hybrids that have been developed surpass them in both size and quality. Two main species, the European and Japanese plum, are now grown commercially in the milder areas of Nova Scotia, Ontario and British Columbia. Most of these

Le noyer, par contre, est un arbre assez rare de nos jours. En effet, le Canada ne compte que deux espèces indigènes : le noyer noir et le noyer cendré. Le premier, qui ne pousse à l'état sauvage que dans les régions les plus chaudes du sud de l'Ontario, ainsi que d'autres espèces, tel le noyer de Siebold, servent souvent d'arbres d'ornement hors de leur habitat naturel. Le noyer noir produit une noix délicieuse qui, par son goût, est comparable au cerneau bien connu du noyer commun, cultivé à des fins commerciales dans des climats cléments. Le bois dur et sombre du noyer noir en fait l'une des essences les plus prisées en ébénisterie.

Le Canada n'abrite que deux espèces de pruniers indigènes. Le greffage a permis de créer des hybrides rustiques de plus grande taille qui donnent des fruits de meilleure qualité. Deux espèces sont importantes pour l'horticulture canadienne : le prunier domes-

| Specifications | | Données techniques | |
|---|---|---|---|
| Denomination: | 48¢, 65¢, 84¢ | Valeur : | 0,48 $, 0,65 $, 0,84 $ |
| Date of Issue: | 27 December 1991 | Date d'émission : | 27 décembre 1991 |
| Design: | Clermont Malenfant | Conception : | Clermont Malenfant |
| Photo-illustration: | Richard Robitaille, Denis Major | Photo-illustration : | Richard Robitaille, Denis Major |
| Printer: | Ashton-Potter Limited | Imprimeur : | Ashton-Potter Limited |
| Quantity: | Continous printing | Tirage : | impression continue |
| Dimensions: | 32 mm x 26 mm (horizontal) | Format : | 32 mm sur 26 mm (horizontal) |
| Printing Process: | Lithography in five colours | Procédé d'impression : | lithographie en cinq couleurs |
| Pane Layout: | 48¢, 65¢, 84¢ – 50 stamps (pane) 48¢, 84¢ – 5 stamps (booklet) | Présentation : | 0,48 $, 0,65 $, 0,84 $ – 50 timbres (feuilles) 0,48 $, 0,84 $ – 5 timbres (carnet) |

are for the fresh market but some are preserved as jam or dried to produce prunes. One of the most commonly grown European plums, the Stanley, is characterized by dark blue skin and tender yellow flesh.

On this year's medium-value definitives, fruit trees have replaced mammals. The stamps feature photographs by Richard Robitaille that have been delicately retouched by artist Denis Major. The overall design is the work of Clermont Malenfant. All three are based in the Montréal region.

tique et le prunier japonais. Toutes deux sont cultivées à des fins commerciales dans les régions tempérées de la Nouvelle-Écosse, de l'Ontario et de la Colombie-Britannique. Leurs fruits sont surtout consommés frais, mais une partie de la récolte est destinée à la confection de confitures et de pruneaux. L'un des pruniers domestiques les plus courants produit la Stanley, une prune à la peau bleu foncé et à la chair jaune et tendre.

Cette année, des arbres fruitiers prennent le relais des mammifères pour la série de timbres courants de valeur moyenne. Signé Clermont Malenfant, le motif de chaque vignette a été créé à partir d'une photographie de Richard Robitaille, habilement retouchée par l'artiste Denis Major. Tous trois travaillent dans la région de Montréal.

## Berries: The Pick of the Crop

Canada is endowed with over 200 species of wild berries. (All small fleshy fruits are called "berries", even though technically most aren't.) For centuries, many of them provided native peoples with important nourishment. Today, despite the availability of commercially grown berries, Canadians still pick wild ones for their assortment of unique flavours and for the pleasure of harvesting nature's bounty.

Blueberries can be found in every habitat and region of Canada. Highly valued as both a survival food and a culinary delight, this popular fruit comes in 18 different wild species and in many cultivated varieties.

Wild strawberries are small and fragile, but their exquisite sweetness more than compensates. When ripe in June, a strawberry patch can often be located by its fragrance alone.

Crowberries have been termed "easily the most important fruit of the Arctic." At home either on rocky bluffs or in peat bogs, the crowberry shrub produces juicy, mild-tasting berries.

## Les petits délices de la nature

La nature a doté le Canada de plus de deux cents espèces de baies sauvages. (Tous les petits fruits charnus sont qualifiés de «baies», bien qu'en principe la plupart n'en soient pas.) Pendant des siècles, bon nombre de ces petits fruits ont constitué un apport alimentaire important pour les autochtones. De nos jours, malgré les variétés cultivées qui leur sont offertes, les Canadiens convoitent toujours ces véritables délices de Dame Nature.

Le bleuet, qui pousse dans tous les habitats, se rencontre partout au Canada. Très apprécié tant pour ses vertus gastronomiques que pour sa valeur nutritive, cet aliment de survie populaire comprend dix-huit variétés sauvages et de nombreuses variétés cultivées.

La fraise sauvage est plus petite et plus délicate que la fraise de culture, mais son exquise saveur sucrée l'emporte haut la main. En juin, lorsqu'elles atteignent leur pleine maturité, les fraises sauvages se laissent repérer à leurs seules effluves.

On dit de la camarine noire qu'elle est, et de loin, le fruit le plus important de l'Arctique. Cramponnés à des pentes escarpées et rocheuses ou puisant leur sève dans des tourbières, les plants poussent à profusion et forment des buissons touffus semblables à des fourrés de résineux. Leurs baies juteuses sont légèrement fades.

Of the 14 species of wild rose in Canada, the largest and most prevalent is prickly rose. Its deep orange fruits or "hips" are renowned for their high Vitamin C content and are used to make everything from tea to jelly.

The flavour of wild black raspberry, like its many wild raspberry relatives, far surpasses that of commercially grown varieties. The berries, which fall into your hand when ripe, are delicious eaten raw, as well as in preserves, desserts or beverages.

Kinnikinnick (or bearberry) grows in rocky and sandy areas throughout Canada. Native peoples used to eat the berries frequently, cooking them to improve their dry texture. Because the berries remain on the bush all winter, they are also an important survival food.

Saskatoon berries, once a staple food of natives and early settlers, are still one of the most popular fruits of the Prairies. Tolerant of many growing conditions, the large bushes produce sweet, juicy berries with very high iron content and a wide variety of uses.

This year's stamps feature seven berries, each portrayed in its environment. For the first

Parmi les quatorze espèces de rosiers sauvages qui croissent au Canada, le rosier acidulaire est le plus grand et le plus répandu. Son fruit d'un rouge orangé, le cynorrhodon ou «gratte-cul», est réputé pour sa teneur élevée en vitamine C et sert à divers usages culinaires, de l'infusion à la gelée.

Comme les nombreuses espèces de framboises sauvages, la framboise sauvage noire est bien plus parfumée que les variétés cultivées à des fins commerciales. À maturité, les drupes tombent d'elles-mêmes. Délicieuses nature, les framboises se prêtent aussi à la confection de confitures, de boissons et de desserts.

L'arctostaphyle pousse dans les terrains rocailleux et sablonneux. Les autochtones en consommaient régulièrement les baies – les raisins d'ours – qu'ils faisaient cuire pour en réduire le goût farineux. Demeurant sur l'arbuste tout l'hiver, le fruit constitue également un aliment de survie important.

La petite poire, qui faisait autrefois partie de l'alimentation de base des Amérindiens et des premiers colons, reste l'un des fruits les plus appréciés des Prairies. Cette baie est le fruit de l'amélanchier, un buisson qui jouit d'une grande adaptabilité. Juteuses, sucrées et très

| Specifications | | Données techniques | |
| --- | --- | --- | --- |
| Denomination: | 1¢, 2¢, 3¢, 5¢, 6¢, 10¢, 25¢ | Valeur: | 0,01 $, 0,02 $, 0,03 $, 0,05 $, 0,06 $, 0,10 $, 0,25 $ |
| Date of Issue: | 5 August 1992 | Date d'émission: | 5 août 1992 |
| Design: | Dennis Noble | Conception: | Dennis Noble |
| Typography: | Tania Craan | Typographie: | Tania Craan |
| Printer: | Ashton-Potter Limited | Imprimeur: | Ashton-Potter Limited |
| Quantity: | Continuous printing | Tirage: | impression continue |
| Dimensions: | 26 mm x 22 mm (horizontal) | Format: | 26 mm sur 22 mm (horizontal) |
| Printing Process: | Lithography in five colours | Procédé d'impression: | lithographie en cinq couleurs |
| Pane Layout: | 100 stamps | Présentation: | 100 timbres |

time, the illustration on each stamp is continuous with the illustrations on the adjacent stamps on the pane. This innovative design is by Dennis Noble and the typography is by Tania Craan, both of Toronto.

riches en fer, les petites poires peuvent être apprêtées de maintes façons.

Cette année, les timbres mettent en vedette sept baies : chacune est illustrée dans son habitat. Une première philatélique : l'illustration de chaque vignette joint celle du timbre suivant, les vignettes d'une même feuille formant ainsi une seule image. Dennis Noble signe ce motif novateur, Tania Craan, la typographie. Tous deux sont de Toronto.

## Resumen en Español

Este año, la Colección Souvenir de Estampillas comienza con una serie de cinco estampillas de gran colorido en honor de la XVI Olimpíada de Invierno. Los canadienses han participado durante décadas en todos los deportes de que consta: patinaje artístico, salto con skis, ski alpino, hockey sobre hielo y carreras de rastra corta. (Ver página 10).

Las cuatro estampillas que se emiten en conjunción con Canadá 92 describen varios acontecimientos transcendentales: la Exhibición Internacional de Filatelistas Juveniles; el descubrimiento de América por Cristobal Colón; la exploración del río San Lorenzo y dos estampillas en conmemoración del 350 Aniversario de la fundación de Montreal. (Ver páginas 12, 14).

Cinco ríos que han contribuido al desarrollo de nuestras industrias de recursos naturales se ilustran en una serie de cinco estampillas: los ríos Margaree, el Eliot o West, el Ottawa, el Niágara y el South Saskatchewan. Esta es la segunda de una serie dedicada al patrimonio fluvial de Canadá. (Ver página 16).

El 50 aniversario de la Autopista de Alaska se celebró con una serie especial conmemorativa. Una de los mayores realizaciones de ingeniería del siglo, la carretera de 2400 kilómetros de longitud, abrió un área antes aislada de la sociedad moderna. (Ver página 18).

Los Juegos Olímpicos se representan por medio de cinco de los deportes más antiguos y más populares: ciclismo, salto de trampolín, natación, gimnasia y carrerismo. Como las estampillas de los Juegos de Invierno, los diseños son tan dinámicos como los acontecimientos mismos. (Ver página 20).

Red Nasturtiums, pintura de David Milne, realza la estampilla de este año en la serie continua de Obras Maestras de Arte Canadiense. Si bien Milne no conoció una gran aclamación, produjo pinturas de verdadero genio y originalidad. (Ver página 22).

Canada Post no ha reparado en medios para celebrar el 125 aniversario del nacimiento de nuestro país. En una colección magnífica de 12 estampillas, se representan las 10 provincias y los dos territorios mediante pinturas por artistas regionales contemporáneos. (Ver páginas 4, 24).

Cuatro héroes legendarios, quienes realizaron actos de coraje y fortaleza extraordinarios, son sujeto de la tercera emisión de la serie de Folklore Canadiense. Comprenden el leñador Joseph Montferrand, el patrón de pesca William Jackman, Laura Secord - de los Leales al Imperio, y el guía Métis Jerry Pots. (Ver página 26).

Para rendir tributo al 150 aniversario de la Agrimensura Geológica de Canadá, se seleccionaron cinco minerales extraídos en Canada para adornar un conjunto de cinco estampillas: oro, cobre nativo, galena, grosularia y sodalita. (Ver página 28).

El Programa Espacial de Canadá se celebra  con dos estampillas: una describe aportaciones efectuadas a la investigación y tecnología espaciales, particularmente en telecomunicaciones y detección remota; la otra se centra en el Programa de Astronautas Canadiense y nuestra participación en las misiones del Transbordador Espacial.
(Ver página 30).

La Liga Nacional de Hockey celebró su 75 aniversario este año con tres estampillas de tres épocas de su historia. Los primeros 25 años se caracterizaron por un flujo constante; los 25 siguientes, por una liga de gran potencia de seis equipos; y los 25 últimos, por su rápida expansión. (Ver página 32).

Roland Michener fue nombrado Gobernador-General de Canadá en 1967 y, el mismo año, fue el primero en recibir la Orden de Canadá, una recompensa por servicio ejemplar y realizaciones. Canada Post rindió homenaje tanto a Michener, quien falleció el año pasado a la edad de 91 años, como a esta recompensa de gran prestigio. (Ver página 34).

Recordando los días aciagos de 1942, un conjunto de estampillas conmemora el 50 aniversario de la II Guerra Mundial. Esta cuarta emisión de una serie de siete, resalta el bombardeo de Dieppe, la presencia de submarinos U -de bolsillo- alemanes en la costa esta, la participación de Terranova y el reportage de eventos relacionados con la guerra. (Ver página 36).

Al igual que el año pasado, uno de los símbolos más universales de Navidad —Santa Claus— aparece en las estampillas en celebración de la Natividad. La famosa figura se halla en todos los países del mundo en una gran variedad de atuendos étnicos. (Ver página 38).

Si bien la Reina Isabel a menudo ha figurado en emisiones definitivas, este año marca el 40 aniversario de su ascensión al trono (ver página 40). Otra representación familiar de definitivas es la bandera canadiense. Hace ya varios años que la bandera fue superpuesta a diversas escenas típicas canadienses. (Ver página 42).

Las definitivas de medio valor de este año presentan tres árboles frutales: el manzano McIntosh, el nogal negro y la ciruela Stanley (Ver página 44). Las definitivas de bajo valor presentan siete especies de bayas silvestres: arándano, fresa silvestre, frambuesa negra silvestre, rosa espinosa, arándano agrio, kinnikinnick y la baya de saskatoon. (Ver página 46).

## Zusammenfassung (Deutsch)

Die Briefmarken Souvenirsammlung wird in diesem Jahr mit einem Satz von fünf farbenfreudigen Briefmarken anläßlich der XVI. Olympischen Winterspiele eingeleitet. Seit Jahrzehnten haben Kanadier in jeder der dargestellten Sportarten teilgenommen: Eiskunstlauf, Skisprung, Hockey, alpiner Skisport und Bobschlitten-Rennen (siehe S. 10).

Im Rahmen der Internationalen Philatelistischen Jugendausstellung, Kanada 92, wurden verschiedene bedeutende Ereignisse auf vier Briefmarken dargestellt: Die Entdeckung von Amerika durch Kolumbus, die Entdeckungsreisen von Jacques Cartier auf dem Sankt- Lorenz-Strom und zwei Briefmarken für den 350. Jahrestag der Gründung von Montreal (siehe S. 12, 14).

Fünf Flüsse, die zur Erschließung unserer Naturschätze beigetragen haben, sind auf einem Satz mit fünf Briefmarken illustriert: die Flüsse Margaree, Eliot oder West, Ottawa, Niagara und South- Saskatchewan. Es ist die zweite Ausgabe in einer Serie, die Flüssen in Kanadas Geschichte gewidmet ist (siehe S. 16).

Anläßlich des 50. Jahrestag der Alaska-Highway wurde eine Gedenkmarke herausgegeben: Als eine der größten technischen Errungenschaften des Jahrhunderts hat die 2400 km lange Straße ein Gebiet erschlossen, das zuvor von der modernen Welt isoliert war (siehe S. 18).

Die Olympischen Sommerspiele wurden durch fünf der ältesten und beliebtesten Wettbewerbssporte dargestellt: Radrennen, Kunstspringen, Schwimmen, Gymnastik und Wettrennen. Wie bei den Briefmarken der Olympischen Winterspiele ist die künstlerische Darstellung genauso dynamisch wie die Ereignisse selbst (siehe S. 20).

Red Nasturtiums (rote Kapuzinerkresse), ein Gemälde von David Milne, schmückt die Briefmarke dieses Jahres in der laufenden »Serie der Meisterwerke kanadischer Kunst«. Obwohl Milne zu seinen Lebzeiten nie richtig gewürdigt wurde, sind seine Gemälde Ausdruck eines wahren Genies (siehe S. 22).

Zur Feier des 125-jährigen Geburtstages von Kanada hat Canada Post einen überschwenglichen 12-Briefmarken Satz herausgegeben: die 10 Provinzen und zwei Territorien sind in den lebhaften Gemälden gegenwärtiger, einheimischer Künstler dargestellt (siehe S. 4, 24).

Vier Sagenhelde, die sich durch Taten ihrer Kraft und ihren Mut ausgewiesen haben, sind Gegenstand der dritten Serie in der Reihe kanadisches Volkstum: Holzfäller Joseph Montferrand, Fischereikapitän William Jackman, »Empire Loyalist« Laura Secord und Metis Führer Jerry Potts (siehe S. 26).

Als Tribut zum 150. Jahrestag des kanadischen Geowesens wurden fünf der in Kanada gewonnen Erze gewählt, um einen Satz von fünf Briefmarken zu zieren: Gold, bergfeines Kupfer, Galenit, Grossular und Sodalith (siehe S. 28).

Das kanadische Raumfahrtprogramm wurde in zwei Briefmarken anerkannt: eine für Beiträge zur Raumfahrtforschung und -technik, besonders auf dem Gebiet der Fernmeldetechnik und Fernerkundung; die andere konzentriert sich auf das kanadische Astronauten Programm und unsere Teilnahme an Missionen der Raumfähre (siehe S. 30).

Der kanadische Hockeybund feiert in diesem Jahr seinen 75. Jahrestag und aus diesem Anlaß wurde ein Satz mit drei Briefmarken für die drei Epochen seiner Geschichte herausgegeben: die ersten 25 Jahre waren durch ständige Veränderungen gekennzeichnet; die nächsten 25 Jahre durch einen soliden Bund mit sechs Mannschaften; und die letzten Jahre durch schnelle Vergrößerung (siehe S. 32).

Roland Michener wurde 1967 als Vertreter der Krone (Governor-General) ernannt, und im gleichen Jahr war er der erste, der den Orden von Kanada erhielt, eine Auszeichnung für vorbildlichen Dienst und außerordentliche Leistung. Durch Canada Post wird Michener, der im vergangenen Jahr im Alter von 91 Jahren verstorben ist, und seiner hohen Auszeichnung Hochachtung bezeigt (siehe S. 34).

In einer Heraufbeschwörung der dunklen Tage von 1942 wurde ein Briefmarkensatz zum 50. Jahrestag des Zweiten Weltkrieges herausgegeben. Als vierte in einer siebenjährigen Serie werden hier die Höhepunkte des Ansturms auf Dieppe, die deutschen U-Boote an der Ostküste, die Beteiligung von Neufundland und die Reportage von Kriegsereignissen dargestellt (siehe S. 36).

Wie im vergangenen Jahr erscheint der Weihnachtsmann wieder als eines der überall best bekannten Symbole auf den Weihnachtsmarken. Die berühmte Gestalt findet man in der ganzen Welt in einer Vielfalt von ethnischen Variationen (siehe S. 38).

Obwohl Königin Elisabeth bis jetzt häufig in der Dauerserie porträtiert wurde, ist der Anlaß in diesem Jahr ihr vierzigstes Jahr auf dem Thron (siehe Seite 40). Eine andere bekannte Darstellung in der Dauerserie ist die kanadische Fahne. Seit einigen Jahren erscheint die Fahne auf dem Hintergrund einer Reihe typischer kanadischer Landschaftsszenen (siehe S. 42).

Die Dauerserie mittleren Wertes für dieses Jahr hat drei Fruchtbäume als ihr Merkmal: der McIntosh Apfel, die schwarze Walnuß und die Stanley Pflaume (siehe S. 44). Die Dauerserie niedrigen Wertes enthält die Darstellung von sieben Beerenarten: Blaubeeren, wilde Erdbeeren, schwarze Krähenbeeren, Hagebutten, wilde Brombeeren, Kinnikinnick- und Saskatoonbeeren (siehe S. 46).

## 日本語摘要

今年の記念切手シリーズの第一回は、第16回冬季オリンピックで、カナダが連続出場を誇るフィギュアスケート、ジャンプ、アルペンスキー、ホッケー、ボブスレーの5種目がカラフルなセットになっています。（10ページ）

カナダ92一世界青年愛蔵切手展にちなんだ、コロンブスのアメリカ発見、ジャック・カルチエのセントローレンス川探険、モントリオール創立350年（2枚）など、歴史に残る偉大な出来事を記念する4枚セット。（12、14ページ）

カナダの天然資源開発に貢献した5つの川、マーガリー川、エリオット・ウエスト川、オタワ川、ナイアガラ川、南サスカチュワン川を描いた5枚セットで、カナダの川シリーズの第2回。（16ページ）

アラスカハイウエー建設50周年の特別記念切手。今世紀の土木工学の偉業と言われる2400キロメートルに及ぶこのハイウエーは、近代社会から隔離されていたアラスカの扉を開きました。（18ページ）

夏のオリンピック競技の中で、長い歴史を持ち最も人気のある自転車、高飛び込み、水泳、体操、陸上の5種目を表わしたセット。冬季オリンピックと同様、ダイナミックなデザインが特徴。（20ページ）

今年のカナダ名画シリーズは、ディビッド・ミルンの紅金蓮花です。ミルンは名声を博した訳ではありませんが、独創性あふれる天才的な絵を残しました。（22ページ）

カナダ建国125年を記念するこの素晴らしい12枚セットは、カナダの10州と2準州を代表する12人の現代画家による生き生きした絵を集めました。（4、24ページ）

カナダ民俗シリーズ第3回は、伝説的な英雄の勇気ある行為をたたえ、木こりのジョセフ・モンフェラン、漁船長ウイリアム・ジャックマン、ロイヤリストのローラ・スコード、メティス族ガイドのジェリー・ポッツの4人がセットになっています。（26ページ）

カナダ地質調査所の創立150周年を記念して、国内で採掘される鉱物から、金、自然銅、方鉛鉱、ざくろ石、方ソーダ石の5種類が選ばれ、5枚セットになっています。（28ページ）

カナダの宇宙計画を表わす2枚の記念切手。1枚は通信とリモートセンシングに代表される宇宙研究と技術を、そして他の1枚は宇宙飛行士計画とスペースシャトルへの参加を、それぞれテーマにしています。（30ページ）

今年で創立75周年を迎えたナショナル・ホッケーリーグの歴史を表わす3枚セット。はじめの25年は変化に満ちた流動期、次の25年は6チームによる堅実なリーグ、そして最近の25年は急成長を遂げたリーグの姿が、それぞれ表わされています。（32ページ）

ローランド・ミッチェナーは1967年にカナダ総督に任命され、同年、特別の業績をあげた者に与えられるカナダ勲章の最初の受章者となりました。昨年91歳で逝去したミッチェナーと栄誉ある勲章を称える記念切手。（34ページ）

暗い1942年の日々を思い起こさせる第2次世界大戦50周年の記念切手。7年間にわたるシリーズの第4回で、ディエップ攻略、東海岸のドイツUボート、ニューファンドランドの戦い、戦争の報道、などをテーマにしたセット。（36ページ）

昨年と同様、クリスマスのシンボルであるサンタクロースがクリスマス切手に登場。世界各国で様々な民俗衣装を着けたサンタクロースが見られます。（38ページ）

エリザベス女王は普通切手にしばしば登場してきましたが、今年は女王在位40年になります。（40ページ）

また、カナダ国旗も普通切手によく使われ、ここ数年は典型的なカナダの風景を背景にした図案になっています。（42ページ）

今年の中額普通切手には、マッキントッシュ・アプル、クルミ、スタンレープラムの3種類の果樹が描かれています。（44ページ）

小額普通切手には、ブルーベリー、野いちご、コケモモ、野バラ、ラズベリー、キニキニック、サスカツーンベリーなど、7種類のベリー類が使われています。（46ページ）

## 加拿大一九九二年邮票纪念册： 内容简介

第一组是一套五枚纪念第十六届冬季奥运会的彩色邮票。 加拿大运动员多年来一直参加冬季奥运会的各个项目，如花样滑冰、 跳台滑雪、 高山滑雪、冰球及雪橇比赛（参阅第10页）。

加拿大1992年国际爱好邮票青年展览会期间发行的一套四枚邮票，纪念了哥伦布发现美洲大陆（一枚）、雅克·卡蒂埃勘探圣劳伦斯河（一枚）以及蒙特利尔建立350周年（两枚）等三大历史事迹（参阅第12、14页）。

一套五枚邮票纪念了在加拿大自然资源开发中起到了重大作用的五条河流即：玛尔格里河、埃里奥特河、渥太华河、尼亚加拉河及萨斯喀彻温南河。这是第二套介绍加拿大河流的邮票（参阅第16页）。

为了庆祝阿拉斯加公路通车50周年，发行了一枚特别纪念的邮票。该公路总长2400公里，将现代文明带到远在天边的荒凉地区，是本世纪最宏大工程之一。

纪念夏季奥运会的邮票介绍了五个历史悠久而最受欢迎的运动项目即：自行车比赛、游泳、体操和赛跑。如同冬季奥运会一样，这套邮票的图案设计充分体现了体育运动的生气勃勃（参阅第20页）。

今年发行了又一枚《加拿大艺术杰作》邮票，题材为戴维·米尔恩画的「红色荷莲」。虽然这并不是一位赫赫有名的画家，但他的作品独树一帜，具有独特风格（参阅第22页）。

本公司为了庆祝加拿大建国125周年，发行了一套纪念邮票，共十二枚，通过当地现代画家的辉煌灿烂作品分别介绍了全国十省两区 的风光（参阅第4、24页）。

加拿大民俗邮票组介绍了四名民间英雄即：伐木工人约瑟夫·蒙沸郎、 渔船船长威廉·杰克曼、 保皇派巾帼英雄劳拉·希科尔德以及土著向导杰里·波特斯（参阅第26页）。

庆祝加拿大地质勘测署成六150周年的邮票，一共五枚，分别用黄金、 天然铜、 方铅矿、钙铝榴石和方钠等加拿大产的矿物装饰。

加拿大空间技术组的两枚邮票分别纪念了加拿大对空间科学研究和技术开 发的贡献，特别是在电信和遥感方面所取得的成就以及加拿大字航员培训计划及其在航天飞机航天任务中的作用（参阅第30页）。

今年全国冰球联盟欢度75周年。三枚邮票介绍了它的三个二十五年的发展阶段： 第一个为联盟瞬息万变的形成阶段； 在第二个阶段中，它成为了一个由六支固定球队组成的联合会； 第三个阶段为迅速扩展阶段（参阅第32页）。

罗伦·米切纳于1967年出任加拿大总督。同年，他成为第一名荣获国家酬谢有功者授予的加拿大勋章的人。米切纳于去年逝世，享年91岁。加拿大邮政公司向米切纳和加拿大勋章致敬（参阅第34页）。

分七年发行的第二次世界大战纪念票的第四组，描述了1942年战火弥天的黑暗日子，追忆了迪埃普空袭、德国潜水艇侵入加拿大东部近海、钮芬兰卷人战争以及战事新闻报导（参阅第36页）。

同去年一样，圣诞老人再次出现在今年的圣诞节邮票上。圣诞老人是圣诞节的象征之一，在世界各国以不同的民族色彩露面（请参阅第38页）。

伊丽莎白女皇的肖像经常出现在往年的普通邮票上， 今年又纪念她登位的40周年（请参阅第40页。经常在普通票上出现的另外一个图案是加拿大国旗，只是每年的背景图案还用新的加拿大风光（参阅第38页）。

今年中等面值的普通邮票选用了绿果苹果树、 黑核桃树和斯氏李子树（参阅第44页）。 低等面值普通邮票选用了七种浆果植物：乌饭树、 野生草莓、岩高兰、 大叶蔷薇、野生黑刺莓、熊果和梣叶唐棣（参阅第46页）。

## The Artists

The work of the artist as it applies to stamp design is a unique and specialized art. Working closely with Canada Post's Stamp Products Division, the artists who collaborate on stamp designs – illustrators, graphic designers, photographers – are all expected to meet the highest professional standards. They must ensure not only the utmost accuracy of the stamp's subject matter, but also the visual appeal of their artwork when reduced to 10 percent of its original size. This year again, Canada Post is paying tribute to those whose combined talents go into creating these miniature works of art.

## Les artistes

Le travail hautement spécialisé de l'artiste dont l'œuvre sert à la création d'un motif de timbre-poste est unique. Illustrateurs, photographes et graphistes qui travaillent en étroite collaboration avec les responsables des produits philatéliques de la Société canadienne des postes doivent respecter des critères précis afin d'obtenir un produit d'excellente qualité. Non seulement doivent-ils s'assurer de la fidélité de leur œuvre, mais ils doivent aussi veiller à son attrait visuel une fois réduite à dix pour cent de sa dimension originale! Cette année encore, la Société canadienne des postes rend hommage au talent des artistes qui produisent les vignettes, des œuvres d'art miniatures.

---

Winter Olympics
Page 10

Les Jeux olympiques d'hiver
Page 10

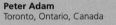

**Peter Adam**
Toronto, Ontario, Canada

**Katalin Kovats**
Toronto, Ontario, Canada

**Peter Adam**
Toronto (Ontario), Canada

**Katalin Kovats**
Toronto (Ontario), Canada

---

Canada 92
Page 12

Canada 92
Page 12

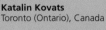
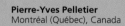

**Suzanne Duranceau**
Montréal, Quebec, Canada

**Pierre-Yves Pelletier**
Montréal, Quebec, Canada

**Suzanne Duranceau**
Montréal (Québec), Canada

**Pierre-Yves Pelletier**
Montréal (Québec), Canada

Canada's River Heritage
Page 16

Fleuves et rivières
du patrimoine canadien
Page 16

**Malcolm Waddell**
Toronto, Ontario, Canada

**Jan Waddell**
Toronto, Ontario, Canada

**Malcolm Waddell**
Toronto (Ontario), Canada

**Jan Waddell**
Toronto (Ontario), Canada

Alaska Highway
Page 18

La route de l'Alaska
Page 18

**Jacques Charette**
Hull, Quebec, Canada

**Vivian Laliberté**
Ottawa, Ontario, Canada

**Jacques Charette**
Hull (Québec), Canada

**Vivian Laliberté**
Ottawa (Ontario), Canada

Summer Olympics
Page 20

Les Jeux olympiques d'été
Page 20

**Peter Adam**
Toronto, Ontario, Canada

**Katalin Kovats**
Toronto, Ontario, Canada

**Peter Adam**
Toronto (Ontario), Canada

**Katalin Kovats**
Toronto (Ontario), Canada

Masterpieces
of Canadian Art
Page 22

Chefs-d'œuvre de
l'art canadien
Page 22

**Pierre-Yves Pelletier**
Montréal, Quebec, Canada

**Pierre-Yves Pelletier**
Montréal (Québec), Canada

Canada Day
Page 24

La fête du Canada
Page 24

**Pierre-Yves Pelletier**
Montréal, Quebec, Canada

**Pierre-Yves Pelletier**
Montréal (Québec), Canada

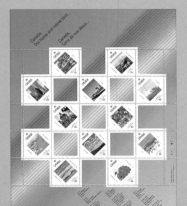

Legendary Heroes
Page 26

Héros légendaires
Page 26

**Ralph Tibbles**
Toronto, Ontario, Canada

**Ralph Tibbles**
Toronto (Ontario), Canada

**Deborah Drew-Brook**
Downsview, Ontario, Canada

**Deborah Drew-Brook**
Downsview (Ontario), Canada

**Allan Cormack**
Downsview, Ontario, Canada

**Allan Cormack**
Downsview (Ontario), Canada

Canadian Minerals
Page 28

Minéraux du Canada
Page 28

**Raymond Bellemare**
Noyan, Quebec, Canada

**Raymond Bellemare**
Noyan (Québec), Canada

**Hans Blohm**
Ottawa, Ontario, Canada

**Hans Blohm**
Ottawa (Ontario), Canada

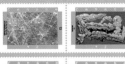
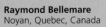

Canada in Space
Page 30

Le Canada à l'ère spatiale
Page 30

**Debbie Adams**
Toronto, Ontario, Canada

**Debbie Adams**
Toronto (Ontario), Canada

The National Hockey League
Page 32

La Ligue nationale
de hockey
Page 32

**Les Holloway**
Toronto, Ontario, Canada

**Richard Kerr**
Toronto, Ontario, Canada

**Les Holloway**
Toronto (Ontario), Canada

**Richard Kerr**
Toronto (Ontario), Canada

R. Michener and
the Order of Canada
Page 34

R. Michener et
l'Ordre du Canada
Page 34

**Tania Craan**
Toronto, Ontario, Canada

**Michael Kohn**
Toronto, Ontario, Canada

**Cavouk**
Toronto, Ontario, Canada

**Tania Craan**
Toronto (Ontario), Canada

**Michael Kohn**
Toronto (Ontario), Canada

**Cavouk**
Toronto (Ontario), Canada

| The Artists | Les artistes |
| --- | --- |

**The Second World War**
Page 36

**La Seconde Guerre mondiale**
Page 36

**Pierre-Yves Pelletier**
Montréal, Quebec, Canada

**Jean-Pierre Armanville**
Now works in France

**Pierre-Yves Pelletier**
Montréal (Québec), Canada

**Jean-Pierre Armanville**
Travaille maintenant en France

Christmas
Page 38

Noël
Page 38

**Louis Fishauf**
Toronto, Ontario, Canada

**Stephanie Power**
Toronto, Ontario, Canada

**Simon Ng**
Toronto, Ontario, Canada

**Anita Kunz**
Toronto, Ontario, Canada

**Jamie Bennett**
Toronto, Ontario, Canada

**Ross MacDonald**
(not in photograph)
Toronto, Ontario, Canada

**Louis Fishauf**
Toronto (Ontario), Canada

**Stephanie Power**
Toronto (Ontario), Canada

**Simon Ng**
Toronto (Ontario), Canada

**Anita Kunz**
Toronto (Ontario), Canada

**Jamie Bennett**
Toronto (Ontario), Canada

**Ross MacDonald**
(absent sur la photo)
Toronto (Ontario), Canada

Queen Elizabeth II
Page 40

La reine Élisabeth II
Page 40

**Tom Yakobina**
Montréal, Quebec, Canada

**Yousuf Karsh**
Ottawa, Ontario, Canada

**Chris Candlish**
Toronto, Ontario, Canada

**Tom Yakobina**
Montréal (Québec), Canada

**Yousuf Karsh**
Ottawa (Ontario), Canada

**Chris Candlish**
Toronto (Ontario), Canada

The Canadian Flag
Page 42

Le drapeau du Canada
Page 42

**Stuart Ash**
Toronto, Ontario, Canada

**Stuart Ash**
Toronto (Ontario), Canada

**Peter Adam**
Toronto, Ontario, Canada

**Peter Adam**
Toronto (Ontario), Canada

**Katalin Kovats**
Toronto, Ontario, Canada

**Katalin Kovats**
Toronto (Ontario), Canada

Fruit Trees
Page 44

Arbres fruitiers
Page 44

**Clermont Malenfant**
Montréal, Quebec, Canada

**Clermont Malenfant**
Montréal (Québec), Canada

**Richard Robitaille**
Saint-Lambert, Quebec,
Canada

**Richard Robitaille**
Saint-Lambert (Québec),
Canada

**Denis Major**
Montréal, Quebec, Canada

**Denis Major**
Montréal (Québec), Canada

Edible Berries
Page 46

Baies comestibles
Page 46

**Dennis Noble**
Toronto, Ontario, Canada

**Dennis Noble**
Toronto (Ontario), Canada

**Tania Craan**
Toronto, Ontario, Canada

**Tania Craan**
Toronto (Ontario), Canada

| | Photo credits | Images |
|---|---|---|
| **Jacket/Jaquette** | Joe Towers – Masterfile<br>Richard Robitaille, Denis Major | Joe Towers – Masterfile<br>Richard Robitaille, Denis Major |
| **1** | Joe Towers – Masterfile<br>Richard Robitaille, Denis Major | Joe Towers – Masterfile<br>Richard Robitaille, Denis Major |
| **4-5** | Superstock/Four by Five – The Photo Source<br>Superstock/Four by Five – Derek Trask<br>Superstock/Four by Five – Mia et Klaus<br>Industry, Science and Technology Canada | Superstock/Photographie quatre par cinq – The Photo Source<br>Superstock/Photographie quatre par cinq – Derek Trask<br>Superstock/Photographie quatre par cinq – Mia et Klaus<br>Industrie, Sciences et Technologie Canada |
| **6-7** | Industry, Science and Technology Canada<br>Superstock/Four by Five – Mia et Klaus<br>Superstock/Four by Five – David Bell | Industrie, Sciences et Technologie Canada<br>Superstock/Photographie quatre par cinq – Mia et Klaus<br>Superstock/Photographie quatre par cinq – David Bell |
| **8-9** | Drie/Meir – Industry, Science and Technology Canada<br>Superstock/Four by Five – Anne Gransden<br>Industry, Science and Technology Canada | Drie/Meir – Industrie, Sciences et Technologie Canada<br>Superstock/Photographie quatre par cinq – Anne Gransden<br>Industrie, Sciences et Technologie Canada |
| **10-11** | Canapress<br>T. Grant – Athlete Information Bureau | Canapress<br>T. Grant – Service information-athlètes |
| **12-13** | National Archives of Canada CT A/10000/1546<br>Claude Huguet<br>National Archives of Canada C 3651 | Archives nationales du Canada CT A/10000/1546<br>Claude Huguet<br>Archives nationales du Canada C 3651 |
| **14-15** | Claude Huguet, Richard Robitaille | Claude Huguet, Richard Robitaille |
| **16-17** | Canadian Heritage Rivers Secretariat<br>National Archives of Canada PA 56928 | Secrétariat des rivières du patrimoine canadien<br>Archives nationales du Canada PA 56928 |
| **18-19** | Industry, Science and Technology Canada<br>Egon Bork – Industry, Science and Technology Canada<br>National Archives of Canada C 25739 | Industrie, Sciences et Technologie Canada<br>Egon Bork – Industrie, Sciences et Technologie Canada<br>Archives nationales du Canada C 25739 |
| **20-21** | Canapress – Buston, Deryk, Poling | Canapress – Buston, Deryk, Poling |
| **22-23** | National Gallery of Canada<br>National Archives of Canada C 8653, C 57166 | Musée des beaux-arts du Canada<br>Archives nationales du Canada C 8653, C 57166 |
| **24-25** | Industry, Science and Technology Canada<br>Drie/Meir – Industry, Science and Technology Canada<br>D. Drever – National Capital Commission | Industrie, Sciences et Technologie Canada<br>Drie/Meir – Industrie, Sciences et Technologie Canada<br>D. Drever – Commission de la Capitale nationale |
| **26-27** | The Memorial University of Newfoundland<br>Musée national du Québec, Glenbow<br>National Archives of Canada C 73596 | The Memorial University of Newfoundland<br>Musée national du Québec, Glenbow<br>Archives nationales du Canada C 73596 |
| **28-29** | Minéraux Noranda Inc., Division Gaspé Mines<br>P. Maning – Cambior Inc.<br>A. Amyot – Cambior Inc.<br>National Archives of Canada PA 115072 | Minéraux Noranda Inc., Division Mines Gaspé<br>P. Maning – Cambior Inc.<br>A. Amyot – Cambior Inc.<br>Archives nationales du Canada PA 115072 |
| **30-31** | Telesat Canada, Canadian Space Agency | Telesat Canada, Agence spatiale canadienne |
| **32-33** | Hockey Hall of Fame<br>Canapress | Temple de la renommée<br>Canapress |
| **34-35** | M. Pinder – Canapress<br>National Archives of Canada PA 117119 | M. Pinder – Canapress<br>Archives nationales du Canada PA 117119 |
| **36-37** | National Defence – Cpt. Gagnon<br>National Archives of Canada C 31313, C 19688, C 14160 | Défense nationale – Capt. Gagnon<br>Archives nationales du Canada C 31313, C 19688, C 14160 |
| **38-39** | Mega – Publiphoto<br>Explorer – Publiphoto<br>Winterthur Museum and Gardens Delaware,<br>Pub. H.G. Caspari, Distrib. P. Belvedere Inc.<br>Dona Bozzi – Publiphoto | Mega – Publiphoto<br>Explorer – Publiphoto<br>Winterthur Museum and Gardens Delaware,<br>Pub. H.G. Caspari, Distrib. P. Belvedere Inc.<br>Dona Bozzi – Publiphoto |
| **40-41** | Canapress<br>Harry Foster – Canadian Museum of Civilization<br>National Archives of Canada PA 168614, C 88552 | Canapress<br>Harry Foster – Musée canadien des civilisations<br>Archives nationales du Canada PA 168614, C 88552 |
| **42-43** | S. Baran, D. Drever – National Capital Commission<br>Industry, Science and Technology Canada<br>M. Dean – National Archives of Canada PA 137916 | S. Baran, D. Drever – Commission de la Capitale nationale<br>Industrie, Sciences et Technologie Canada<br>M. Dean – Archives nationales du Canada PA 137916 |
| **44-45** | D. Fortin – Jardin botanique de Montréal<br>Industry, Science and Technology Canada<br>Courtesy: Agriculture Canada | D. Fortin – Jardin botanique de Montréal<br>Industrie, Sciences et Technologie Canada<br>Gracieuseté : Agriculture Canada |
| **46-47** | R. Meloche – Jardin botanique de Montréal<br>A. Bouchards – Jardin botanique de Montréal<br>Superstock/Four by Five – Robert Llewellyn<br>Superstock/Four by Five – Mia et Klaus | R. Meloche – Jardin botanique de Montréal<br>A. Bouchards – Jardin botanique de Montréal<br>Superstock/Photographie quatre par cinq – Robert Llewellyn<br>Superstock/Photographie quatre par cinq – Mia et Klaus |
| **50-55** | Richard Robitaille | Richard Robitaille |